Das Land der Vogesen und das Land des Schwarzwaldes
waren wie die zwei Seiten eines aufgeschlagenen Buches;
ich sah deutlich vor mir, wie der Rhein sie nicht trennte,
sondern vereinte, indem er sie mit seinem festen Falz
zusammenhielt. Die eine der beiden Seiten wies nach Osten,
die andere nach Westen, auf jeder stand der Anfang eines
verschiedenen und doch verwandten Lieds, so war es Europa,
das offen vor mir lag. Vom Süden kam der Strom und ging
nach Norden, und er sammelte in sich die Wasser aus dem
Osten und die Wasser aus dem Westen, um sie als Einziges,
Ganzes ins Meer zu tragen.

René Schickele, 1922

Oberrheinisches Mosaik

Bilder aus einer gesegneten Landschaft

Gesehen von Leif Geiges
beschrieben von Ingeborg Krummer-Schroth

Verlag Karl Schillinger, Freiburg im Breisgau

Für ihre Mitarbeit danken wir ganz besonders:
Dem Kunstmuseum und Historischen Museum, Basel,
den Städtischen Museen, Freiburg,
dem Unterlinden-Museum, Colmar,
der Münzen und Medaillen A. G., Basel
mit den Herren Prof. Dr. Herbert A. Cahn und Herrn Dr. Erich B. Cahn,
den Universitätsbibliotheken von Basel und Freiburg,
der Landesbibliothek, Karlsruhe
sowie der Bodleian Library, Oxford

Dokumentation, Aufnahmen und Gesamtgestaltung: Leif Geiges, Staufen
Texte und kunsthistorische Beratung: Ingeborg Krummer-Schroth, Freiburg
Ergänzende Aufnahme: Hans Hinz, Basel (S. 54)
Federzeichnungen: Fritz Fischer (S. 9), Irma Schüle (S. 10)
Einbandgrafik: Doris Klingler, St. Johann/Tirol
Sachverzeichnis: Ute Fanck
Klischees: Meyle und Müller, Villingen
Herstellung: Druckerei Karl Schillinger, Freiburg/Brsg., Wallstraße 14
Alle Rechte beim Verlag Karl Schillinger, Freiburg
3. Auflage 1975 · ISBN 3-921340-05-5

Die Alemannen, mitunter als die Fußkranken der Völkerwanderung bezeichnet, hatten ihre guten Gründe, das Voralpengebiet zu besiedeln. Es ist ein gesegnetes Land, klimatisch begünstigt, fruchtbar und landschaftlich reizvoll, ein uraltes Siedlungsgebiet. Das Land zu beiden Seiten des Oberrheins war jahrhundertelang ein in sich geschlossener Lebensraum. Er wird heute über politische Grenzen hinweg unter dem Begriff REGIO zusammengefaßt. Es ist das Land eines Johann Peter Hebel, der die alemannische Sprache zur Dichtersprache erhob und der seine Heimat preist als das Land, „wo jeder Vogel oberländisch singt und wo jeder, selbst der schlechteste Spatz ein Pfarrer ist und ein heiliger Evangelist". Hervorragende Architekten schöpften aus diesem Land ihre Kräfte und machten es mit ihren Meisterwerken mittelalterlicher Baukunst, den Münstern in Basel, Freiburg und Straßburg zu einem Land der Gotik. Aber auch Wissenschaftler und Künstler ließen sich von dieser Landschaft anregen. Hier entstanden die berühmten Gemälde eines Hans Baldung Grien, Grünewald und Holbein. Die gemeinsame Sprache und die gemeinsame Kultur befähigen den alemannischen Menschen ebenso wie seine Landschaft zu einem wichtigen Bindeglied im Herzen Europas. Schon im Jahre 1922 sah René Schickele diese Aufgabe, indem er schrieb:

„Das Land der Vogesen und das Land des Schwarzwaldes waren einst wie zwei Seiten eines aufgeschlagenen Buches; ich sah deutlich vor mir, wie der Rhein sie nicht trennte, sondern vereinte, indem er sie mit einem festen Falz zusammenhielt. Die eine der beiden Seiten wies nach Osten, die andere nach Westen, auf jeder stand der Anfang eines verschiedenen und doch verwandten Liedes, und so war es Europa, das offen vor mir lag."

Möge dieses Buch mit seinen Bildern von berühmten und auch von weniger bekannten Schönheiten die Liebe vertiefen zu unserer alemannischen Heimat und das Verständnis festigen für die REGIO als einem guten Beispiel europäischen Zusammenwachsens.

Dr. PERSON
Regierungspräsident

Es scheint ein ungeheures Nachholbedürfnis zu bestehen, Kostbarkeiten und Schätze dieser einmaligen, großartigen Oberrheinischen Tiefebene und ihres jubilierenden Rahmens — Schwarzwald und Vogesen — unseren Zeitgenossen zu offenbaren.

Den Untergrund bilden Geographie und Natur. Die Geographie ist während Jahrtausenden gewachsen, und die tiefen Einbrüche, die die Menschen zum Nutzen von Wirtschaft und Verkehr getätigt haben, hat die Natur vielfach gütig geheilt und die Narben verwachsen lassen.

Die Natur selbst ist dem steten Wechsel der Jahreszeiten unterworfen. Sie gewandet sich ständig anders, erspart unseren Augen die Müdigkeit der immer gleichen Farben und schenkt ihnen unbeschreibliche Tönungen, die keines Malers Palette nachahmen könnte.

In diesem immensen, stetig farbenwechselnden Teppichgrund haben die Menschen ihre Schätze, von Kunstverständnis geprägte Schöpfungen, hineingelegt. Das ist das große Mosaik am Oberrhein.

Alle Kunstepochen, von der Urzeit über die schöpferisch werdenden Primitiven bis in unsere Zeit, ließen Zeugen in allen Formen künstlerischen Ausdrucks zurück. Es sind leider nur noch Bruchstücke aus großen Zeiten der Menschheitsgeschichte, die erhalten blieben. Vielfältig verstreut in Tälern und auf Bergen, in der Ebene und auf Hängen werden Malereien und Bildhauerwerke in Klöstern, Kirchen, Kapellen und Museen verwahrt, liebevoll beschützt und betreut von Landschafts- und Denkmalspflegern.

Diese Reichtümer gehören uns allen. Der Bildband „Mosaik am Oberrhein" führt Sie durch die Vielfältigkeit zu ihrer Entdeckung.

JOSEPH REY
Bürgermeister von Colmar

Gegenden, die seit jeher auf den Menschen eine besondere Anziehungskraft aus-
übten, die wegen ihrer Fruchtbarkeit, ihres günstigen Klimas oder ihrer landschaftlichen Reize bevorzugt besiedelt wurden, finden wir allenthalben. Auch die Landschaft am Oberrhein ist ältestes menschliches Siedlungsgebiet. Bedeutende Kultu-
ren reihen sich hier seit der Steinzeit nahezu ohne Unterbrechung aneinander.
Das alemannische Land zu beiden Seiten des Oberrheins, diese wahrhaft gesegnete
Landschaft, war jahrhundertelang ein in sich geschlossener Lebensraum. Heute wird
er über die Staatsgrenzen hinweg unter dem Begriff REGIO zusammengefaßt.
„Das Land links des Rheins, das Land rechts des Rheins atmet ein einziges Lä-
cheln!", schrieb René Schickele 1928.
Er ist nur einer der zahlreichen Dichter, die dieser Landschaft ihr Loblied sangen.
Auch Musiker, Maler, Bildhauer und große Architekten wurden von ihr zum Schaffen
angeregt. Mendelssohn-Bartholdy schrieb auf seiner Hochzeitsreise in Freiburg ein
wundervolles Allegretto, Hindemith in Colmar seinen „Mathis der Maler". Hans Baldung Grien, Grünewald und Holbein schufen hier ihre berühmten Gemälde, und die
Bildwerke der Meister HL, Sixt von Staufen und Wenzinger schmücken noch heute
Kirchen, kleine Kapellen und profane Bauten des Landes. Höhepunkte architektonischen Schaffens sind die Münster von Basel, Freiburg und Straßburg. Aber auch Phi-
losophen, Mathematiker und Naturwissenschaftler zogen aus diesem Raum ihre
Kräfte.
Mit dem OBERRHEINISCHEN MOSAIK wurde versucht diese vielseitige Landschaft
zu zeichnen. Dabei sollen Bilder von weniger Bekanntem neben Altbekanntem und
vor allem bedeutende Wiederentdeckungen unserer Zeit zwanglos aneinander-
gereiht werden.

Leif Geiges

Unter dem Ehrenstettener Ölberg breitet sich das Land weiträumig nach Süden aus. Weinberge, üppig-reife Felder, die kühldunklen Wälder des Schwarzwaldes, vereinzelt Hügel mit den Resten längst verfallener Ritterburgen, die aus der Ebene aufragen, — das ist das Land am Oberrhein. Über einer Krieger-Gedächtniskapelle öffnet sich uns dieser Blick: Der Schwarzwald mit dem vorgelagerten Staufener Schloßberg, dahinter neigen sich vom Hochblauen die Berge mit sanften Rebhügeln in Wellen und Mulden bis zum Rhein hinab.

Schon in der Alt-Steinzeit waren die Höhlen unter dem „Ölberg", die einst vom Wasser der Möhlin ausgewaschen worden sind, besiedelt. Das Gebiet ringsum ist reich an Funden vorgeschichtlicher Werkzeuge und Spuren der ältesten Bewohner. Unten im Tal am „Bettlerpfad" wurden auch Alemannengräber aus dem 6. Jahrhundert n. Chr. gefunden. Immer lebten hier Menschen vom Segen der Erde. In den alten Dörfern Ehrenstetten, Ambringen, Kirchhofen waren bis vor dem letzten Krieg fast nur bäuerliche Gehöfte, nun fahren schon viele Einwohner täglich nach Freiburg zur Arbeit.

Unter den alten Häusern des Dorfes Ehrenstetten findet man noch die „Herrenmühle", das Geburtshaus des großen südwestdeutschen Barock-Bildhauers, Malers und Architekten Johann Christian Wenzinger.

Immaculatafigur von Johann Christian Wenzinger in Merdingen, 1741

In der Turmnische über dem Portal der Pfarrkirche von Merdingen am Tuniberg steht noch an der ursprünglichen Stelle eines der schönsten Steinbildwerke Wenzingers. Dieser Bildhauer wurde 1710 als Sohn eines Müllers in Ehrenstetten geboren und entfaltete sich zu einem der bedeutendsten Künstler des 18. Jahrhunderts. Leider hat sich an seinem Heimatort, wo noch sein Vaterhaus steht, kein Werk von ihm erhalten. Nach einer Gesellenzeit in Straßburg zog er nach Paris, Rom und Wien und eignete sich die Vorbilder der noblen internationalen Barockkunst an. Dann schuf er für die Klöster St. Peter, St. Blasien, St. Gallen und die Adligen im Breisgau Bildwerke aus Stein und Stuck, Deckengemälde und Bildnisse. Auch als Architekt war er tätig und baute 1761 sein eigenes palaisartiges Haus am Münsterplatz in Freiburg, in dem er hochgeehrt als Stadtrat 1797 starb. Sein großes Vermögen vermachte er dem Armenspital in Freiburg. Die Immaculatafigur in Merdingen mit ihrer kräftigen, schmiegsamen Gestalt und dem natürlichen Liebreiz ist charakteristisch für die ungekünstelten und doch eleganten Formen der Wenzinger'schen Frauengestalten.

Nicht weit von Ehrenstetten, umhüllt vom Duft der Wiesen und des Waldes und umgeben von einigen Bauernhäusern mit dem Leben der Landleute liegt das Kirchlein und das stattliche Pfarrhaus am Berghang. Wahrscheinlich haben 868 Mönche aus dem Kloster St. Gallen in diesem stillen Hochtal die Vilmarszelle gegründet. Unter dem heiligen Ulrich von Zell wurde daraus 1087 ein Benediktinerpriorat, das 1560 in den Besitz des Schwarzwaldklosters St. Peter kam. Nach den Kriegen im 17. und 18. Jahrhundert, die auch das abgelegene Kloster heimsuchten, wurde ein Neubau nötig, für den alle jene vorzüglichen Künstler, die auch St. Peter erneuerten, hierherkamen. Peter Thumb schuf den schlichten, wohlproportionierten Bau um 1740. Die zierliche, elegante Rokokoausstattung gibt ihm im Innern zauberhafte Schönheit.
Vom mittelalterlichen Kloster ist noch eine gotische Sandsteinstatue der Muttergottes erhalten, die sicher von einem Steinmetzen der Freiburger Münsterbauhütte gemeißelt wurde. Außerdem ist im Garten des Pfarrhauses ein romanischer Taufstein bewahrt.

Romanischer Taufstein in St. Ulrich, 12. Jh.

Aus einem einzigen roten Sandsteinblock ist die runde Schale mit zweieinhalb Meter Durchmesser gehauen worden. Ihre Außenseite zeigt in feingemeißeltem Relief Christus als Salvator thronend, von Evangelistensymbolen umgeben und von 24 sitzenden Heiligen unter Bogenstellungen umringt. Zu Füßen Christi knieen zwei Menschen in tiefer Verbeugung, es sind wohl Stifter des Taufsteins, deren Namen wir nicht kennen. Unter ihnen und den Heiligen ist ein Fries mit Drachen als Symbol der unterweltlichen Dämonen, und um den oberen Rand läuft eine Borte aus stark ausgebohrten Blattranken. Zwar sind die ausdrucksvollen Gestalten sehr verwittert, doch zeigen sie ihre künstlerische Herkunft aus Burgund an. Von daher, aus Cluny, kam auch die Reformbewegung des Benediktinerordens, der das Kloster St. Ulrich seine Entfaltung verdankte.

Das alte, wohl im 8. Jahrhundert entstandene Dorf liegt ausgestreckt auf einer fla-
chen Erhebung zu Füßen des waldigen Hohfirst. Die stattlichen Gehöfte sammeln
sich um die hochgelegene Kirche, die von jeher geistlicher Mittelpunkt der umliegen-
den Gegend war. Sie ist mit ihrer prächtigen Barockausstattung, für die Wenzingers
Rat eingeholt wurde, ein Kleinod. Das Dorfbild mit den vielen alten Häusern und
hohen alten Bäumen hat noch den ursprünglichen Bezug zu den Wiesen und Feldern.
Ein schönes Beispiel dafür, daß die Menschen früher eine Ansiedlung, organisch
und deshalb auch harmonisch in die Landschaft eingefügt haben. Hinter Kirchhofen
breitet sich der Batzenberg mit seinen großen, durch die notwendige Grundstück-
umlegung vereinheitlichten Rebflächen aus, die leider etwas eintönig gegenüber
dem früheren „Fleckleteppich" sind. Im Hintergrund dehnt sich der Kaiserstuhl mit
seinen langgestreckten Bergen aus.

Wasserschloß in Kirchhofen

Im 11. und 12. Jahrhundert gehörte Kirchhofen dem Bistum Basel, dem es wohl 1019 durch Kaiser Heinrich II. aus dem Krongut geschenkt wurde. Die Herrschaft kam dann an die Herzöge von Zähringen, später an Freiburger Patrizierfamilien der Snewlin und Blumenegg und 1570 schließlich an Österreich, bis es 1738 an die Abtei St. Blasien verkauft und 1805 badisch wurde. Alle die „Herrschaften" hatten ihren Verwaltungs- oder Wohnsitz in diesem Wasserschloß, das freilich heute seinen Wassergraben verloren hat und auch sonst viele Erneuerungen erfuhr. Einer der berühmtesten Schloßherren ist der Kaiserliche Rat und Feldhauptmann Lazarus von Schwendi, Freiherr von Hohenlandsberg im Elsaß, der hier 1583 starb. Ihm gehörten auch die Schlösser Burkheim am Kaiserstuhl und Kienzheim im Elsaß. Er ist nicht nur den Historikern bekannt, sondern vor allem den Weinliebhabern. Man sagt, daß er aus den Feldzügen in Ungarn die Tokayer-Rebe in unser Land mitgebracht hat.

Das Schloß in Krozingen liegt in einem alten Park zwischen hohen, schönen Bäumen. Es wurde als Propstei des Klosters St. Blasien 1579 unter Abt Kaspar II. erbaut, der sein Wappen am Treppenturm anbringen ließ. Nachdem der berühmte Pater Marquard Herrgott, der Chronist des Klosters St. Blasien, 1748 Propst in Krozingen geworden war, ließ er das alte Schloß umbauen. Der strenge Bau des 16. Jahrhunderts erhielt durch den vielfach im Breisgau beschäftigten Baumeister Johann Caspar Bagnato mit neuen größeren Fenstern mehr Licht und mit schwungvollen Stuckdecken eine heitere, elegante Ausstattung. Auch die 1608 errichtete Schloßkapelle wurde im 18. Jahrhundert innen umgestaltet und 1762 wurde hier Pater M. Herrgott begraben. Schloß und Kapelle sind in Privatbesitz.

Das uralte Glöcklehof-Kapellchen in Oberkrozingen am Weg nach Staufen war vermutlich in karolingischer Zeit die Eigenkirche eines Herren- oder Fronhofes. Noch heute liegt es bei einem bäuerlichen Anwesen. An den Chorwänden des einfachen Feldsteinbaus sind die ältesten Wandmalereien unserer Landschaft erhalten. Wahrscheinlich stammen sie aus dem 9. Jahrhundert.
Im Kreis hinter dem Altar ist Christus als Salvator dargestellt. In der ehemaligen Fensternische bringen ihm Kain und Abel ihre Opfer dar. Seitlich davon sieht man links die Enthauptung Johannes des Täufers und rechts die Überbringung seines Hauptes an Herodes und Herodias. In einfacher roter Umrißzeichnung sind die Gestalten bewegt und eindringlich in den Wandverputz gemalt.

Ein Altar, der ursprünglich in der Probsteikapelle stand und 1602 gestiftet worden war, ist noch in der Fridolinskapelle in Oberkrozingen erhalten. Der reichdekorierte, bunte Renaissanceaufbau um die Marienkrönung in der Mitte und die Anbetung der Könige in der Predella zeigt in Nischen die Heiligen Barbara und Martin, den Schutzheiligen des Stifters Abt Martin von St. Blasien, dessen Wappen seitlich zu sehen sind.

Die Familie Litschgi und ihr Haus in Krozingen

Aus dem Aosta-Tal zu Füßen des Monte Rosa kamen im 17. Jahrhundert mehrere Savoyardenfamilien als Handwerker und Handelsleute nach Südwestdeutschland. Unter ihnen auch die Litschgis, die in Krozingen bald Besitz und Reichtum erwarben. Es waren unternehmungslustige Leute, die durch Bleigruben, Eisenwerke und Flößerei Geld verdienten, auch durch Kriegslieferungen für die verschiedenen Parteien und durch ihr diplomatisches Geschick, immer mit der erfolgreichen Partei verbunden zu sein.

Das Bild des Johann Baptist Litschgi (1733—98), das heute bei seinen Nachkommen im Haus „Glöcklehof" hängt, zeigt das kräftige, energische Gesicht dieses Handelsmannes. Er wohnte in dem schönen Renaissancehaus „Zum Lamm", das 1564 mit Erker und gewölbter Halle erbaut, 1687 aber von den Litschgis verändert wurde.

Um 1100 kam der Ritter Adalbert, ein Lehnsmann der Herzöge von Zähringen, in den Besitz des Ortes Staufen, der schon 770 urkundlich erwähnt ist und seinen Namen wohl dem steilen Berg verdankt, auf dem dann die Herren von Staufen ihre Burg erbauten. Der Burgberg hat die Form eines umgestülpten Kelches (althochdeutsch: Stouff). Auch im Wappen der Staufener findet man drei goldene Kelche auf rotem Grund. Die Herren von Staufen wurden reich und mächtig als Vögte des Klosters St. Trudpert und Verwalter der Zähringer im silberreichen Münstertal. Ihre Burg steht seit dem dreißigjährigen Krieg als ausgebrannte Ruine über dem Ort, schon 1602 waren die letzten Herren von Staufen ausgestorben.

Das Städtchen Staufen war im 13. Jahrhundert aus der dörflichen alten Siedlung um die Martinskirche entstanden. Es hat außer den spätgotischen Bauten von Rathaus und Kirche noch viele schöne alte Häuser und romantische Winkel neben sehr modernen Gebäuden. Auch einzelne mittelalterliche Kunstwerke von hohem Rang, wie die spätgotische trauernde Schmerzensmutter und ein Johannes, beide ursprünglich in der Friedhofskapelle, und ein Kruzifix des Schnitzers Sixt von Staufen, findet man noch in der Pfarrkirche.

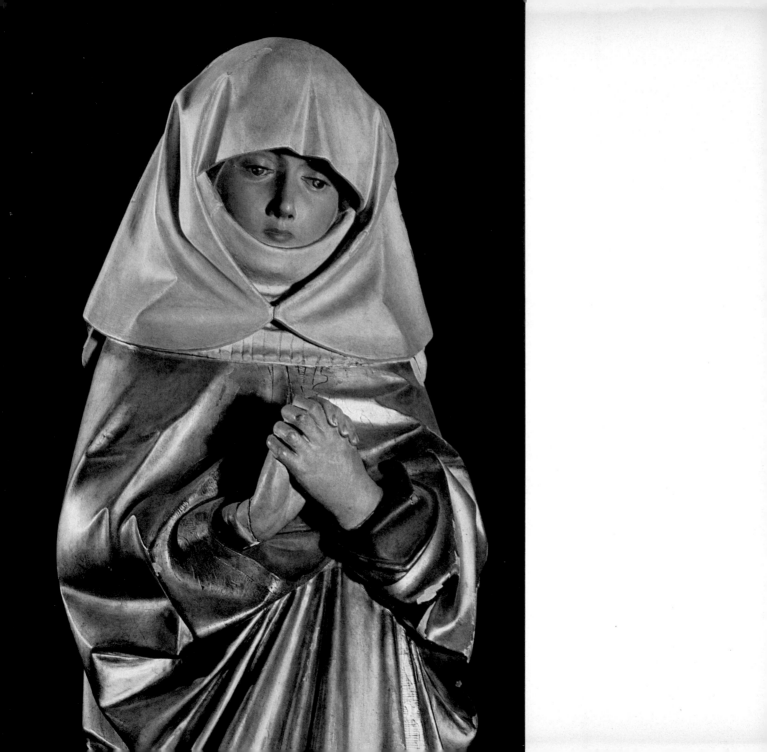

Staufen

Staufen ist durch verschiedenartigste Dinge bemerkenswert und berühmt. Nach der Zimmerschen Chronik soll hier 1539 im „Gasthaus zum Löwen" der Teufel den sagenhaften Dr. Faust geholt haben. In Staufen wurden 1848 die badischen Freiheitskämpfer verlustreich geschlagen. Hier finden seit 1949 Musikwochen in einem eigenen Stil mit alter Musik und alten Instrumenten statt. Hier leben in der Stille und Weite der Landschaft einige bedeutende Künstler und Schriftsteller. Und hier wird von Schladerer das berühmte „Chriesiwässerli" hergestellt und in alle Welt versandt.

Schon vor dem „Siebziger-Krieg" waren die Schladerers als Wirtsleute der „Kreuz-Post" für eine gute Küche, vorzügliche Weine und selbstgebrannte Obstwässer bekannt. Im Verwaltungsbau der neuen großen Brennerei erinnern viele Kunstwerke, prachtvolle alte Möbel, Geräte und Dokumente an die Gemütlichkeit und Festlichkeiten der Gründerzeit der „Kreuz-Post", als die Staufenerinnen noch die Markgräfler Tracht trugen.

Schindlerstollen der Grube Teufelsgrund im Münstertal

Seit 1970 hat die Gemeinde Untermünstertal die alten Stollenanlagen eines Bergwerks für Besucher zugänglich gemacht, um ihnen eine Vorstellung vom Bergbau im Münstertal zu geben. Der Erzreichtum des Gebirges wurde schon früh entdeckt. 1028 wurden dem Bischof von Basel einige Silbergruben im Münstertal verliehen. Im 12. und 13. Jahrhundert entstand aus der Talsiedlung eine blühende und befestigte Stadt, die nach dem im 8. Jahrhundert gegründeten Monasterium S. Trudperti den Namen Münster erhielt, wie das ganze Tal. Diese Stadt war für die Freiburger eine Konkurrentin im Bergbau, Silberhandel und Münz-Prägen, und es gelang ihnen schon im 14. Jahrhundert, sie zu zerstören. Heute ist im Tal keine Spur mehr von ihr zu entdecken. Doch blieb der Bergbau bestehen, bis die Entdeckung Amerikas und seines Silbers den Abbau nicht mehr lohnte. Dennoch hat man immer wieder von neuem versucht Erz abzubauen. Im 18. und 19. Jahrhundert suchte man vor allem Blei, im 20. Flußspat. Doch waren die Gruben nie sehr ertragreich und wurden wieder stillgelegt. Heute dienen sie auch der Heilung Asthmakranker.

Das Silberkreuz in St. Trudpert

Im Münstertal hatte der irische Missionar Trudpert im 7. Jahrhundert eine Zelle gegründet, um von hier aus die heidnischen Alemannen zum Christentum zu bekehren.
Aus dieser Eremitei entwickelte sich ein Benediktinerkloster, das durch den Silber-
reichtum des Tales wohlhabend wurde. Zu den Schätzen, die in der Barockkirche von
Peter Thumb noch zu sehen sind, gehört das prachtvolle, silberne Vortragekreuz,
das um 1160 durch den zähringischen Marschall Gottfried von Staufen hierher gestiftet wurde.
Dieser Stifter ist auf einer viereckigen Platte zu Füßen Christi anbetend dargestellt
und mit seinem Namen Gottfried bezeichnet. Sein Bild befand sich ursprünglich auf
der Vorderseite und wurde bei der Restaurierung 1971 vertauscht mit dem Bild seiner Gemahlin Anna, die auf der Rückseite abgebildet war. Sie erhob die Hände zum
Weltenrichter, der umgeben von Leidenswerkzeugen und Posaunenengeln thront.
Das 76 cm hohe Kreuz aus Holz ist auf beiden Seiten ganz mit getriebenen Silber-
platten belegt; sie sind zum Teil mit Vergoldung und Niellozeichnung verziert. Im
Glanz des Silbers erscheint der Erlöser an diesem Kreuz menschlich und überirdisch
zugleich.

Auch heute noch kann man im Münstertal einen Kohlenmeiler rauchen sehen, wenn man Glück hat. Die Holzkohle, die der Köhler in dem kunstvoll gebauten Meiler brennt, wird jetzt vor allem zum Grillen verwendet. Wer denkt wohl heute daran, wenn er Steaks oder Würstchen darauf brät, wieviel Märchen, Sagen und Geschichten einst von den Köhlern, den schwarzen Gesellen in finsteren Wäldern, erzählt wurden? Sie waren immer sehr arme Leute, und nur wenige kamen durch verirrte Jäger und Fürsten zu Ansehen und Reichtum.

Das Kohlenbrennen hat im Münstertal eine lange Tradition. Allein die Familie Riesterer brannte im Münstertal seit vielen Jahrhunderten Holzkohle. Nachdem 1938 der Köhler und Fleischbeschauer Konstantin Riesterer mit 77 Jahren verstarb, ist Karl Riesterer — „Fleischschauers Karl", wie er im Dorf heißt, der letzte Köhler des Münstertales. Er verlegte seinen Arbeitsplatz aufs Neumattengründle an der Straße Münstertal-Haldenhof. Nach dem letzten Krieg ging das Holzkohlengeschäft stark zurück, so daß Karl Riesterer jährlich nur noch 2 Meiler brennen konnte. Inzwischen haben die Inlandsaufträge aber so stark zugenommen, wohl durch den augenblicklichen „Grill-Trend", daß heute schon wieder zehn bis zwölf Meiler jährlich gebrannt werden können.

Alemannische Spezialitäten

Das Land am Oberrhein hat eine ganze Anzahl besonderer Genüsse zu bieten, die sonst nirgends zu finden sind. Dazu gehören die Schwarzwälder Specktorte und der Zwiebelkuchen. Köstliche Specktorte wird im Münstertal gebacken. Der Zwiebelkuchen wird im alemannischen Land im Herbst überall zum „Neuen Süßen" gereicht, in Basel während der Fasnacht außerdem zusammen mit gebrannter Mehlsuppe. Wer nicht unbedingt für Neuen Süßen zu begeistern ist, dem kann man nur raten, zum Zwiebelkuchen ein vollmundiges Viertele „Weißherbst" zu bestellen. Er ist eine Besonderheit dieses Landes, wie es der Rosé für bestimmte Regionen Frankreichs ist: Ein weiß gekelterter Rotwein.

Die hohe Granitkuppe des frei aufragenden Belchen ist der markanteste Berg des
südlichen Schwarzwaldes. Schon auf sehr alten Landkarten war der Belchen besonders ins Auge fallend eingezeichnet. Der Gebirgszug des Schwarzwaldes weist
auf seiner ganzen Länge fast stets nur wellige Erhebungen auf, die aus dem eigent-
lichen Massiv kaum merklich herausragen, und vortretende Berge wie Blauen oder
Kandel sind relativ selten. So nimmt der Belchen denn eine Sonderstellung ein,
ganz gleich, ob man von Basel oder Freiburg kommt, oder ob man von der Höhe der
Vogesen herüberblickt. Er hat in den Vogesen im „Großen Belchen" (Grand Ballon)
seinen gleichgeformten Verwandten.

Blick vom Belchen zum Montblanc

Wenn im Spätjahr die Nebel in den Tälern liegen und um die Schwarzwaldberge ziehen, sieht man von den höchsten Gipfeln im Süden unter leuchtend blauem Himmel die Alpen. Besonders vom Belchen aus überschaut man in einzigartigem Rundblick den Schwarzwald, die Vogesen und die vielfach hintereinander auftauchenden Ketten der Alpenberge, aus denen mächtig der Montblanc herausragt.

Alte Schwarzwaldhäuser

In den weiten Hochtälern des Schwarzwaldes liegen die Höfe oft weit voneinander und im Tal verstreut. Sie bilden aber auch „Rotten" und Weiler, wie hier in Bernau, in denen sich die Häuser zusammendrängen mit ihren großen, grauen Schindel-dächern, die Tier und Menschen zugleich vor dem rauhen Wetter bergen. Hier oben waren die Häuser einst ganz aus Holz gebaut, das sich im Lauf der Jahrhunderte silbergrau färbte und einen einzigartigen Holzgeruch ausströmte.
In diesem Dorf wurde 1839 der Maler Hans Thoma geboren, der besonders als Schil-derer des Schwarzwalds und seiner Bauern bekannt ist.

Bauernschnitzerei

Der Boden des Hochschwarzwaldes ist karg gegen die fruchtbare Landschaft des Rheintales. Er nährte die Waldbauern nicht zureichend. So verschaffte oft Heimarbeit noch etwas Geld. Früher haben die Bauern an Winterabenden für Haus und Hof alles Gerät geschnitzt und „geschnefelt"; im 19. Jahrhundert wurde aus der Schnitzerei ein Gewerbe. Hans Thoma half seinen Landsleuten in Bernau durch Entwürfe für Schnitzarbeiten. Heute noch werden Stühle nach seinen Motiven wie „Storch und Frosch" oder den „Drei Hasen" gemacht — alte Dreifaltigkeitssymbole des Mittelalters.

Die ehemalige Klosterkirche St. Cyriak in Sulzburg gehört jetzt zu den bekannten Bauten in Deutschland. Bis 1964 war sie eine unbekannte, recht verunstaltete Friedhofskapelle und wurde nur von Kunsthistorikern zu Studienzwecken besucht. Doch mit Hilfe des Amtes für Denkmalpflege in Freiburg und großem Anteil der Sulzburger Bürger wurde der eindrucksvolle Raum der frühmittelalterlichen Kirche durch Ausgrabungen, Wiederherstellung der abgerissenen Seitenschiffe und Erneuerung der Einbauten wiedergewonnen. Nun dient er außer zu Gottesdiensten auch zu anderen Feiern und zu Konzerten.

Die Cyriakskirche von außen und ihre Orgel

Das Kloster, zu dem die Kirche gehörte, war von Nonnen des Benediktinerordens vom Anfang des 11. Jahrhunderts an bis zur Reformation 1556 bewohnt. Der Breisgaugraf Birchtilo gründete 993 das Gotteshaus, in dem er sich auch begraben ließ. Die schlichten klaren Bauformen wurden durch spätere Anbauten wie den Turm und das Einbrechen gotischer Fenster nicht gestört. Außer Spuren alter Wandmalereien aus verschiedenen Zeiten, einigen Epitaphien und der Holzdecke von 1510 findet man noch eine prachtvolle Barockorgel, die der Orgelbauer Andreas Füxlin zu Beginn des 18. Jahrhunderts schuf.

Schon im 13. Jahrhundert wurden dem Johanniterorden zu Freiburg Grundstücke in dem sehr alten Dorf Heitersheim geschenkt, und 1505 wurde der Sitz des Großpriors des Ritterordens nach dahin verlegt. Der Orden hatte sich in Palästina und auf der Mittelmeerinsel Malta der Krankenpflege gewidmet, und auch in Heitersheim unterhielten die ritterlichen Brüder ein Spital, ein Armen- und Pfründnerhaus. Doch wohnten sie nicht im Dorf, sondern außerhalb desselben in einem mächtigen, ummauerten Schloß, von dem heute noch Teile des Grabens und der Mauern stehen. Ein Stich von Merian zeigt die ausgedehnte wehrhafte Anlage des Mittelalters und des 17. Jahrhunderts. Von dem mittelalterlichen Bau ist Vieles erhalten in den Erweiterungsbauten des 18. Jahrhunderts. Zu den veränderten Teilen der Vorburg gehört auch die Kanzlei mit dem prächtigen großen Wappen des Erbauers Fürst Philipp Wilhelm von Nesselrode-Reichenstein. Noch immer bietet das ehemalige Schloß mit seinen zwei Höfen, den Wohn- und Wirtschaftsgebäuden eine Vorstellung von der Bedeutung des Ordens. Heute dient es dem Orden des Hl. Vincenz von Paul, der hier für seine Schwestern ein Krankenhaus hat und für geistig und körperlich behinderte Kinder sorgt.

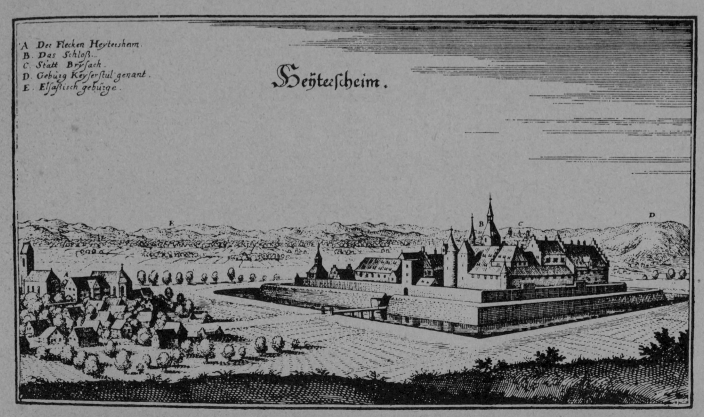

A. Der Flecken Heytersheim.
B. Das Schloß.
C. Statt Brysach.
D. Gebürg Keyserstul genant.
E. Elsaßisch gebürge.

Heytersheim.

DIE·SVND·ZV·SODOMA·VND·GOMORA·NAM·VBERHAND·DARVM·SIE·GOT·MIT·SCHWEFEL·VND·FEVER·VORBRANT

Ofenplatte mit Untergang Sodoms

Am Heitersheimer Schloß ist eine gußeiserne Ofenplatte des 16. Jahrhunderts eingemauert, die den Untergang Sodoms darstellt. Wie auf einer Bühne mit Renaissancerahmen erscheint im Hintergrund die alttestamentliche Stadt Sodom, die wegen ihres üppigen Lebens und ihrer Gottlosigkeit mit dem Untergang bestraft wurde. Gott wollte jedoch den frommen Lot und seine Familie retten und ließ sie aus Sodom ausziehen — wie wir es auf dem Relief sehen. Freilich wurde sein Weib ein Opfer ihrer Neugier, denn als sie auf die Stadt zurückschaute, erstarrte sie zur Salzsäule (die links neben dem Baum im Mittelgrund erscheint). Auch Lot, der sich rechts mit seinen Töchtern betrinkt, kommt nicht ohne Schande aus der Geschichte heraus, die man im Alten Testament lesen kann.

Unbeschreiblich schön sind die Beete und Blumenfelder bei dem Dorf Laufen, das die Gräfin Helene von Stein, geborene Zeppelin, bei Garten- und Blumenliebhabern in aller Welt berühmt gemacht hat. In ihren Gärten und Gewächshäusern züchtet sie wunderbare Gebilde aus Natur und Phantasie. In vielen Farbnuancen, seidig glänzend, in verschiedensten aparten Formen und Größen wachsend, erfreuen diese Blüten zu allen Jahreszeiten die Betrachter. Die Wenigsten denken bei ihrem Anblick daran, wieviel Mühe und Sorge ihr Entstehen verursachte, wieviel Arbeit und Liebe sie erforderten. Die Natur schenkt den Menschen nichts ohne ihr Zutun. Davon können auch die Weinbauern von Laufen erzählen, denen ihr guter Wein ebenfalls nicht ohne harte Arbeit in den Mund wächst.

Wallfahrtskirche St. Ilgen

Um 1300 wurde dem heiligen Aegidius in dem lieblichen Wiesental bei Betberg eine Kirche erbaut, deren Pultdachturm unten vielleicht noch älter und charakteristisch ist für das Markgräfler Land. Er ragt mit großen, hochgotischen Spitzbogenöffnungen über das Kirchendach hinaus, das sich ihm anlehnt und einen originellen, einseitigen Treppengiebel hat. Das flachgedeckte Langhaus hat einen schmalen Chor mit hohen Fenstern.

Als die Glaubensreform 1556 im Markgräfler Land durch den Landesherrn eingeführt wurde, übertünchte man die buntbemalten Wände der Kirchen. Man zog über die farbenfrohe und bewegte Welt der „katholischen" Heiligen den weißen Schleier reinen Glaubens und strenger Frömmigkeit. So blieben die Bilder verborgen bis neugierige Historiker und Restauratoren sie aufdeckten und in ihnen großartige künstlerische Zeugnisse mittelalterlichen Christentums entdeckten, die unseren Glauben nicht gefährden sondern stärken können. Versuchen nicht die Bösen heut wie einst die Frommen zu vernichten, wie hier der Schütze einen Menschen, der angebunden ist? (Vielleicht ist er der Achior aus dem Alten Testament — aus dem Buch Judith —, der als Gegenbild gegen Christus im Kreuz dargestellt wurde.) Unter dieser Szene sind Kreuzigung und Auferstehung Christi dargestellt, darüber Bilder aus der Schöpfungsgeschichte. Diese mit Rot lebendig in den Putz der Wand gezeichneten Fresken stammen aus dem 14. Jahrhundert. Auf der rechten Bildseite sind aber auch noch Teile von Fresken zu sehen, die auf eine neue, etwas höhere Verputzschicht gemalt sind. Unter einem Rad sind zwei Knechte hingestürzt: sie gehörten wohl zu einer Darstellung des Martyriums der Heiligen Katharina, die gerädert werden sollte. Vermutlich sind außer dem Weltgericht, das auch noch sichtbar ist, in Hügelheim noch weitere Wandmalereien, die demnächst aufgedeckt werden sollen.

Alter Grenzstein am Hochkelch-Sattel

Bergauf und bergab läuft der Grenzpfad auf dem Schwarzwaldkamm am Münstertal entlang nach Süden. Die Grenzsteine sind noch Zeugnisse für längst vergangene Herrschaftsgebiete und Rechte. So steht hier unter dem Wappen mit dem österreichischen Bindenschild ein Wappen mit Hirtenstab und zwei Kirchtürmen als Erinnerung an das Kloster St. Trudpert. Die andere Seite des Steins zeigt das Wappen der Markgrafen von Hachberg-Sausenberg. Hier stießen also die beiden großen Herrschaften aneinander, die unser Land regierten und seit der Reformation auch den Glauben ihrer Untertanen bestimmten, so daß es seit 1556 katholische und protestantische Orte und Kirchen gibt.

Viele Kämpfe wurden jahrhundertelang um diese Grenze und ein paar Meter Land geführt. Jetzt ist im vereinheitlichten Bundesland eine solche Grenze, die einst Zollschranke und oft schwer zugängliches Feindesland war, nur noch durch verwitterte Grenzsteine kenntlich.

Unmittelbar liegt Ältestes und Neuestes in dem wohlgepflegten Kurpark von Badenweiler zusammen. Als gestufter Terrassenbau fügt sich die Architektur aus Betonstützen und Glas in den Berghang unter der Burg ein. Mit festgeschlossenen Mauern aus kräftigen Buckelquadern hockt die Burg des 12. Jahrhunderts abweisend und streng über den luftigen, einladenden Hallen, Laufgängen und Treppen. Welche Verschiedenheit der Bauten, ihres Sinnes und der Welt, in der sie entstanden!

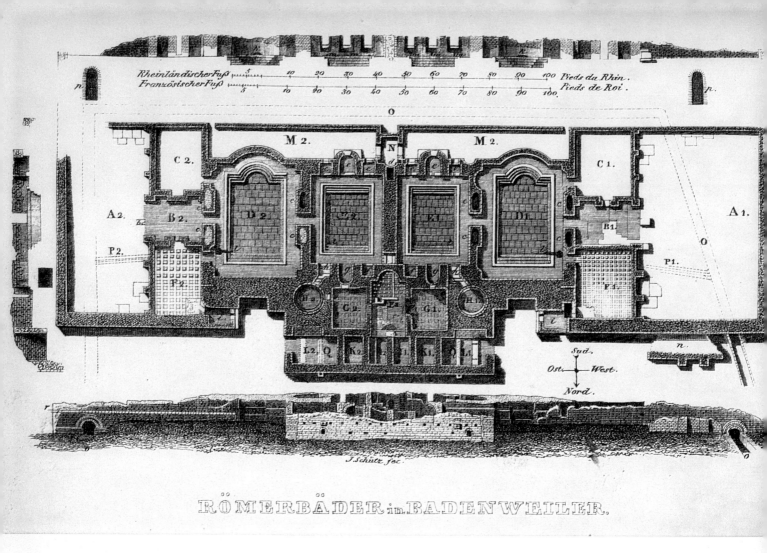

RÖMERBÄDER in BADENWEILER.

Das Römerbad Badenweiler

Die Römer hatten sich seit dem 1. Jahrhundert n. Chr. auf dem rechten Rheinufer angesiedelt. Von dem Verwaltungszentrum Augst aus führte seit 100 n. Chr. eine Straße über Haltingen, Efringen, Blansingen über den Isteiner Klotz und dann das Rheintal entlang. An ihr wurden Gutshöfe angelegt und nach der Entdeckung der Thermalquellen in Badenweiler entstand dort eine Siedlung — vermutlich auch mit Villen — um eine große Badeanlage von 94 Meter Länge und 34 Meter Breite. Das gleichmäßig-symmetrisch gebaute Badehaus war einerseits für Männer, auf der anderen Seite für Frauen bestimmt. Es enthielt sowohl große Becken wie Wannenbäder mit heißem, lauem und kaltem Wasser, dazu Ankleide- und Salbräume, Wartezimmer und Räume für die Heizanlagen. Die jetzt sichtbaren Mauern stammen aus drei Bauzeiten. Mancherlei kostbare Gegenstände aus römischer Zeit kamen bei Erdarbeiten wieder ans Licht. So wurde beim Bau des Parkhotels eine prachtvolle Gemme mit dem markanten Bildniskopf des Kaisers Augustus gefunden (24 x 16 mm groß).
Als im 3. Jahrhundert n. Chr. die Alemannen die Römer vertrieben hatten, verfielen die Thermen von Badenweiler. Teils wurden sie verschüttet und überwachsen, teils als Steinbruch verwendet, aus dem man sich Quadern für die Burgmauern und Häuser holte. Das Römerbad wurde erst 1784 wieder ausgegraben, als man für den Ausbau des markgräflichen Amtshauses Baumaterial aus dem „alten Gemür" holte. Als man dabei auf feste mächtige Mauerzüge stieß, verhinderte der damalige Pfarrer Gmelin den weiteren Abbruch. Der Markgraf Karl Friedrich unterstützte die Ausgrabungen der Badeanlage, die bald zum Schutz ein Dach erhielt, was dann 1796 die österreichischen Truppen veranlaßte dort ihre Pferde einzustellen, deren Hufe die feingeglätteten Kalksteinplatten der Badebecken beschädigten.
Auch im Mittelalter hat man vermutlich in Badenweiler gebadet, aber wohl in hölzernen Badehäuschen und Bottichen, wie wir sie aus Buchmalereien kennen; jedenfalls haben sie keine Spuren hinterlassen. Erst im 18. und 19. Jahrhundert wurden steinerne Badehäuser errichtet, gute Gasthäuser, Villen und der Kurpark angelegt. Dieser Park, dessen herrliche alte Bäume uns immer von neuem erfreuen, wurde von einem Freund Johann Peter Hebels, dem Schwetzinger Gartendirektor Zeyler zuerst entworfen, dann später erweitert und bereichert. Das 1971/72 errichtete moderne Kurhaus am Park und die neue katholische Kirche geben Badenweiler neben den antiken und mittelalterlichen Ruinen und den gemütlichen Bauten des 19. Jahrhunderts neue künstlerische Akzente.

Von weit her sieht man das helle Gebäude aus den Wäldern am Blauen leuchten, wenn man auf den Berg zufährt. Der zierliche Rokokobau liegt hoch auf einer Bergnase, und von seiner Terrasse aus hat man einen unvergeßlichen Blick über die Waldberge, das Rheintal und auf die Vogesen. Herrlich sind dort oben die Stunden des Abends und der Nacht, wenn die Himmelslichter die Landschaft mit ihren Farbspielen verzaubern und vergeistigen.

Auch Bürgeln ist — wie Krozingen — einst als Propstei von St. Blasien 1762—64 von Johann Caspar Bagnato erbaut worden. Mit zartem Stuckdekor, feinen Malereien, schönen Intarsientüren und eleganten Tapeten erinnert der Bau an die vornehme künstlerische Atmosphäre der Prälaten, die ihn bewohnten. Leider ist die alte Ausstattung zum Teil verloren, da das Schloß seit 1806 durch die Säkularisation in private Hände kam. Doch versucht der „Bürgelnbund", eine 1920 zur Erhaltung dieses Kleinods gegründete Vereinigung von Heimatfreunden, das Haus gut instandzuhalten.

Schloßkapelle von Bürgeln

Schon vor dem Barockbau hat in Bürgeln eine Propstei mit einer Kapelle bestanden. Im 12. Jahrhundert schenkte der Ritter Werner von Kaltenbach aus dem Kandertal seinen Besitz Bürgeln der Abtei St. Blasien, wo er 1125 als Mönch starb. Das damals entstandene Kloster wurde trotz seiner Abgelegenheit im Bauernkrieg und 30jährigen Krieg geplündert und war recht verwahrlost, als sich der Fürstabt Meinrad Troger entschloß den Neubau zu errichten. Die Kapelle ließ er 1762 von einem sehr guten Stuckator und dem Maler Morath aus Grafenhausen hell und zierlich mit zarten Deckenbildern und vergoldeten Girlanden schmücken. Der ursprünglich größere Altar ist verloren, doch wurde er nach 1920 durch einen Barockaltar, der aus Bayern stammt, ersetzt.

Blick über Müllheim nach Badenweiler und dem Blauen

Stahlstich von Johann Poppel nach Zeichnung von K. Corradi 1864

Eingebettet in das Tal des Klemmbaches vor dem Blauen liegt der Ort Müllheim zwischen Weinbergen. Heute ist er Stadt, aber einige hübsche Bauernhäuser erinnern noch an seinen Ursprung als Winzerdorf. Andere stattliche Bauten aus dem 18. und 19. Jahrhundert bezeugen seine Bedeutung als Verwaltungsstädtchen.
Hinter Müllheim liegt auf weit vortretendem Berg die Ruine der Burg Badenweiler, und daneben im Sattel sieht man die Häuser des Kurortes. Die einst mächtige Burg beherrschte seit dem 12. Jahrhundert das Tal und gehörte vielen bedeutenden Herren. 1678 wurde sie von den Franzosen zerstört.

Auferstehung der Toten. Wandgemälde in Müllheim, 14. Jh.

Von der mittelalterlichen Pfarrkirche St. Martin in Müllheim steht nur noch der Turm, in dessen gewölbter Vorhalle 1913 Fresken entdeckt wurden. Altem Brauch entsprechend war hier am Ein- und Ausgang der Kirche das Weltgericht als Mahnung dargestellt. Ein Engel ruft mit Posaunen die Toten aus den Gräbern. Eilig winden sie sich aus den Grabtüchern und steigen aus den Särgen. Darüber werden sie einerseits von Teufeln in den scharfgezähnten Höllenrachen geführt, andererseits zur Himmelstür, die ein Engel aufschließt. Auch ein Bild von Abraham ist erhalten, in dessen Schoß die Seelen wohlgeborgen ruhen.

Die St.-Leodegar-Kirche in Schliengen

Auf einem Hügel, an den sich auch ein Teil des Dorfes anschmiegt, liegt die Pfarrkirche von Schliengen. Hinter einem barocken Tor führt eine Treppe zu ihr und dem
ehemals ummauerten Friedhof hinauf. Sie wurde 1753 um den mittelalterlichen Turm
neu errichtet und von Rokokokünstlern ausgestattet. Besonders der rechte Seiten-
altar mit einem Bild des heiligen Sebastian des Konstanzer Malers F. L. Hermann
und den Figuren der Heiligen Katharina und Barbara, die der Vöhrenbacher Joh. Win-
terhalter kraftvoll und großzügig schnitzte, ist sehenswert. Die großen Bilder des
Marienlebens kamen 1716 aus der Kirche des Basler Hochstifts in Arlesheim, für die
sie 1697 gestiftet worden waren, hierher, denn Schliengen war von 1070—1803 im
Besitz des Bistums Basel.

Schliengener Wein

Das Motiv der Schliengener Kirche mit Pfarrhaus begegnet uns wieder auf einem Faß im Keller des alten Weingutes Blankenhorn, in dem köstlicher Markgräfler Wein seit 1747 zur Reife kommt. Zuweilen werden erst im Dezember, bei letzter Sonne mit klammen Händen die Trauben der „Spätlese" — vielleicht eines „Eisweines" — geschnitten. Diese wunderbare „Beerenauslese" trinkt man am besten in einer der gemütlichen Gaststuben des Ortes.

In der Weinstube der Winzergenossenschaft hängt über dem Stammtisch das Gemälde eines sehr verdienstvollen Mannes. Es ist das Bildnis des Pfarrers Leonhard Müller, der 1898 nach Schliengen kam. Er bewirtschaftete selbst die dortigen Pfarr-Reben und lernte die Anbau- und Absatzsorgen seiner Bauern kennen. Um sie zu verringern, gründete er 1908 die erste Winzergenossenschaft im Markgräfler Land, nach dem Vorbild seines Freundes, des Pfarrers und Dichters Heinrich Hansjakob, der 1881 in seiner damaligen Pfarrei Hagnau am Bodensee die erste badische Winzergenossenschaft gegründet hatte. Sie hatte das Ziel gute, naturreine Weine zu bieten und für besseren Absatz zu sorgen. In Schliengen waren die Ortspfarrer bis 1950 Vorsitzende der Winzergenossenschaft.

Inmitten des hübschen Dorfes Liel liegt das stattliche Herrenhaus aus der Mitte des 18. Jahrhunderts. Es ist charakteristisch für die schlichten Schlösser unseres Landes mit seinem ruhigen zweigeschossigen Baukörper unter dem großen geschwungenen Mansartdach. Ein Mittelrisalit um das Portal mit skulpierten Fenstersteinen und wappengeschmücktem Giebel hebt den Bau als herrschaftliches Gebäude hervor. Im Giebel sind die Wappen der Herren von Rotberg und Baden in Rokokokartuschen. Die Freiherren von Baden waren seit dem 15. Jh. Besitzer von Liel. Bevor das Barockschloß entstand, bewohnten sie ein Wasserschloß, das bei der Kirche lag, in der sie begraben wurden. Dort findet man noch einige schöne Freskenreste.
Neben dem Schloß entspringt eine mineralhaltige Quelle, deren Wasser als „Lieler Schloßquelle" in der nahen Fabrik versandfertig gemacht wird. Der Versuch, aus Liel einen Kurort zu machen, glückte bisher nicht.

In der Pfarrkirche von Liel

Von der alten Pfarrkirche von Liel ist hinter einem einfachen Langhaus des 18. Jahrhunderts der dicke Turm erhalten, durch dessen untere gewölbte Halle man in den gotischen Chor gelangt. Von den 1908 aufgedeckten Fresken haben die Gestalten der Trauernden über der Wandnische des Heiligen Grabes am besten ihre leuchtende Farbigkeit aus dem 15. Jahrhundert bewahrt. Die architektonische Rahmung der Grabnische wurde später abgeschlagen. In diesem Chor hatten die Herren von Baden ihre Grablege.

Aus dem vielfältig über dem Altar ausgespannten Gewölbe des spätgotischen Chores treten uns bunt und beschwingt Gestalten der Heilsgeschichte entgegen. Zwei
Engel halten das Schweißtuch mit dem Antlitz Christi, umgeben von Evangelisten-
Symbolen und Engeln mit Leidenswerkzeugen. In den Spitzbögen über den Fenstern sitzen diskutierend Propheten mit Spruchbändern, die Zeugen des Alten Testaments für das kommende Heil.

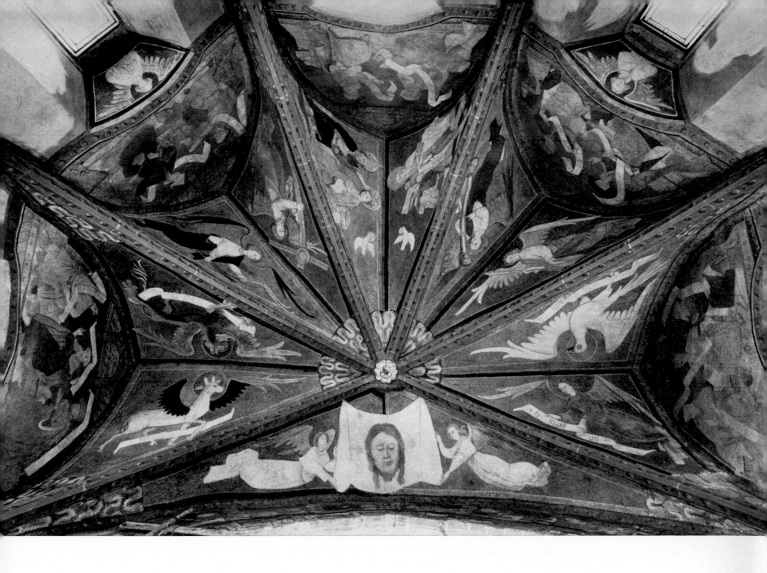

Wintersweiler

Das Dorf liegt unterhalb der alten „Römerstraße", die von Augst über Efringen und den Isteiner Klotz nach Norden zog und sich bei Laufen in einen Weg nach Breisach und einen nach der Freiburger Bucht gabelte. Eingebettet in die Mulde ist's noch ein rechtes Bauerndorf, dessen Kirche von 1765 im letzten Krieg stark zerstört wurde. Sie ist ganz wiederaufgebaut. Im Hintergrund erscheint der große Zug des Blauens mit seinen Wäldern und Lichtungen, in denen Bürgeln als weißer Punkt leuchtet.

Die Pfarrkirche von Blansingen

Man kann nicht immer „die Kirche im Dorf lassen". In Blansingen jedenfalls ist's nicht möglich, weil die Kirche nicht im Dorf steht sondern seitab von den Bauernhäusern. Sie ist in verschiedenen Bauabschnitten entstanden, zuerst wohl der hohe Chor, dann das breite Langhaus und der stattliche Westturm, der das Datum 1497 über dem Eingang trägt. Schon seit 1173 ist eine Kirche in Blansingen erwähnt, die 1350 in den Besitz des Klosters St. Blasien kam. Damals entstand wohl der Chorbau, wenig später wurde das Langhaus angebaut.

Der Innenraum der Blansinger Kirche ist voller Bilder. Sie bedecken die Wände ringsum bis in die Fensterlaibungen. Auf der einen Wand sind Szenen aus dem Leben des heiligen Petrus gemalt, der wohl einst Patron der Kirche war, auf der andern im Norden ist das Leiden Christi geschildert. Ein riesiger Christophorus und ein Weltgerichtsbild ermahnen die Gläubigen zu demütigem Leben. Am Chorbogen erscheinen die klugen und törichten Jungfrauen — wie oft in Markgräfler Kirchen. Alle Bilder der Wände sind in doppelter Reihe übereinander, fortlaufend erzählend und durch rote Rahmen voneinander getrennt. Die Farben sind nicht grell. Viel Ockergelb, Purpur- und Zinnoberrot, helles Grün und Weiß geben dem Ganzen einen warmen Zusammenklang. Von der Modellierung ist sicher manche Stufung der Farbtöne, die mit Secco-Malerei aufgesetzt waren, durch die Übertünchung verloren. Aber wahrscheinlich waren die Nuancen immer schlicht wie in kolorierten Volkshandschriften und Holzschnitten der gleichen Zeit (um 1440), mit denen sie sehr verwandt sind. Die Bilder sind einfach, mit viel Empfindung gemalt. Gespannt hören die Frauen der Predigt des Apostels von der Kanzel zu, dessen großer Schlüssel zeigt, daß er Petrus, der Himmelspförtner, ist, oder verfolgen trauernd das Leiden Christi.

Feldkreuz bei Rheinweiler

Am alten Rheinsträßle, das von Rheinweiler am Isteiner Klotz entlangführt, steht ein barockes Feldkreuz. Angenagt vom Zahn der Zeit fängt es an abzubröckeln. Wie lang wird es uns noch mahnen mit seiner Inschrift unterm Engelskopf
BEDRACHT ES WOL MEI(N) CHRIS(T) DAS DV VRSACH MEINES D(ODS) BIST
17...   JOHANES REIMAN.
Am Kreuzfuß hält eine bäuerlich derbe Muttergottes den toten Christus im Schoß.

Eingeschmiegt in eine Mulde des Berges, die einer Biegung des Rheins folgt, liegt Bellingen an einem sonnigen Lößhang, der gute Reben trägt. Seit dem 11. Jahrhundert war hier ein Dorf, dessen Bauern mit Landwirtschaft, Weinbau und Fischerei gut leben konnten, wenn nicht Kriege Gut und Land zerstörten.
Seit 1956 ist in Bellingen das Leben anders geworden. Man begann nach Erdöl zu bohren und fand eine außerordentlich heiße und heilsame Thermalquelle, die man sogleich für Heilbäder nutzte. Die ersten Kurgäste badeten in einem ehemaligen Weinbottich und zogen sich hinter Schilfmatten um — wie im Mittelalter. 1967 konnte schon ein modernes Hallen-Bewegungsbad eröffnet werden, und aus dem kleinen Dorf ist heute ein vielbesuchter Kurort geworden.

Jaspisbergbau der Steinzeit bei Kleinkems

Von der Autobahn aus sieht man nördlich über dem Portland-Cementwerk von Klein-kems Höhlungen im Fels. In ihnen wurden seit 1939 aufregende Funde gemacht und wissenschaftliche Erkenntnisse gewonnen. Schon beim Eisenbahnbau im 19. Jh. hatte man an dieser Stelle Jaspisknollen im Kalk entdeckt. 1939 fand man eine kleine Höhle mit Gefäßscherben, Tier- und Menschenknochen und vor allem viele Jaspis-bruchstücke und Holzkohle von Wildreben sowie zugeschlagenes Rheingeröll. Den Wissenschaftlern gaben die Funde zunächst Rätsel auf, bis sie erkannten, daß hier ein „Bergwerk" der Jungsteinzeit gewesen war, in dem die Menschen die Jaspis-knollen aus dem Kalk durch Feuersetzen leicht herauslösen konnten, um sie dann für ihre Werkzeuge zu verwenden. Aus den Jaspisbrocken schlugen sie mit Hilfe von geschäfteten Rheinkieseln (rechts im Bild) scharfkantige Geräte heraus: Pfeilspitzen, Klingen, Messer, Schaber, Bohrer.

Isteiner Klotzen

Weit öffnet sich auch heute noch dem Wanderer, der am Isteiner Klotz emporklettert, die Aussicht über den Rhein hinweg nach Basel, zu den Jurabergen und nach Westen hin zu den Vogesen. Aber die Landschaft ringsum sieht jetzt völlig anders aus seit der Rheinregulierung durch Oberst Tulla in der zweiten Hälfte des 19. Jahrhunderts (bei Istein 1850—76), dem Bau der Eisenbahn 1845—1855, der Autobahn und des Rheinseitenkanals nach 1945.

Für den Basler Maler Peter Birmann (1758 — 1844), der in Rom mit Goethe befreundet war, sah das Rheintal noch aus wie zu Zeiten der Römer und Alemannen. In seinem Gemälde „Aussicht vom Isteiner Klotzen auf den Rhein" (um 1840), das im Kunstmuseum zu Basel hängt, sieht man städtische Herren und einen Landmann in die urwüchsige weite Stromlandschaft schauen. Der Rhein breitete sich in der Ebene mit seinen Armen aus, wechselte bei Überschwemmungen sein Bett, bildete „Wörthe" mit Gebüsch und Bäumen, kiesige „Griene" und stille Altwasser. Sein klares, grünes Wasser floß unmittelbar am Dorf Istein entlang, in dem die Bauern auch Fischerei betrieben. Von dort aus strömte das Wasser mit großer Kraft über die Schwellen und unter den Kalkklippen des „Klotzen" dahin. Oft wurden Ertrunkene am „Totengrien" angeschwemmt und auf dem „Vertrunkene Gottsäckerli" von Istein beerdigt. Die Nonnen des kleinen Frauenklösterles, das der Basler Bischof Leuthold dort gegründet hatte, beteten für die Unglücklichen.

Am Fels entlang führte ein gefährlicher Steig über eine Holzbrücke, neben der an einem Pfeiler der Brückenheilige St. Nepomuk stand, zum Veitskapellchen. Dann senkte er sich mit mehreren Treppen zum Friedhof herab. Die weit vorhängende Felswand war vom Strom unterspült und seit Jahrhunderten ausgewaschen. Auf der Höhe des Klotzen stand im 19. Jahrhundert das „Lusthüsli", ein Aussichtspavillon. Im 12. Jahrhundert lebten dort die Herren von Istein als Lehnsleute des Bischofs von Basel in einer stattlichen Burg, die 1411 von den Basler Bürgern zerstört wurde.

Sieht man den „Klotzen" heute von der Stelle wie im Stich um 1842, so ist manches anders. Das Kapellchen und Klausnerhaus fehlen, sie wurden bei der Sprengung der Festung 1947 zerstört. Auch der heilige Nepomuk hütet nicht mehr die Brücke, sondern steht jetzt im neuen Schulhaus zu Istein. Schon immer diente der Isteiner Klotz zur Sicherung des Landes, vom 13. Jahrhundert an durch die Burgen Istein und Neuenburg. Vor 1914 wurde der Berg als unterirdische Festung ausgebaut, die 1919 zerstört werden mußte. Vor dem 2. Weltkrieg wurde er wiederum befestigt und 1947 abermals gesprengt. Dabei sind riesige Stücke der Felswände herausgerissen oder eingestürzt. Aber nicht nur hier wurde die Landschaft verändert. Am Hartberg und bei Kleinkems haben Industriewerke Breschen in das Bergmassiv geschlagen, und eine Kiesgrube nach der anderen macht den Rheinwald wüst.

Die „Arche", ein Fachwerkhaus von 1533 in Istein

Trotz der anwachsenden Bevölkerung und der Neubauviertel sind die Dörfer am „Klotz" noch heimelig mit vielen alten, wohlproportionierten Häusern, Brunnen, Winkeln und Treppchen. Sie werden jetzt z. T. mit Hilfe der Denkmalpfleger gut instandgesetzt. In Istein geben das „Stapflehus" (1621), das „Chanzle" (1599) und die „Arche" (1533) dem Ortsbild um die alte Kirche ein freundliches Aussehen.
Die „Arche" hat ein besonders hohes, schön verstrebtes Untergeschoß mit einem großen Tor. Das diente als Bootsschuppen zur Aufbewahrung der „Waidlinge" der Fischer im Winter. Im Obergeschoß sind gekuppelte Fenster mit kräftigen Holzrahmen.

Verwandelte Natur am Isteiner Klotz

Die Rheinregulierung Tullas und der Bau des Rheinseitenkanals seit 1932 veränderten nicht nur das Landschaftsbild, sondern hatten eine völlige Verwandlung der
Pflanzen- und Tierwelt zur Folge. Seit 100 Jahren senkte sich der Grundwasserspie-
gel um sechs bis acht Meter, so daß der hohe feuchtwarme Auwald aus Pappeln,
Eschen, Erlen und Weiden zum Aussterben verurteilt wurde. An seiner Stelle ge-
deihen jetzt Kiefern, niederes Gebüsch aus Schlehen, Weiß- und Sanddorn, die sich
mit trockenem Kiesboden begnügen. Vor allem aber breitet sich die Robinie mehr
und mehr aus, die der Franzose Robin, Leibarzt der Königin Maria Medici, 1601 aus
Nordamerika für den Botanischen Garten in Paris eingeführt haben soll, besonders
nachdem man sie zur Tarnung des Festungsgebietes am Klotz ebenso angepflanzt
hatte wie an den Bunkern der Maginotlinie im Elsaß. Auch die aus Kanada als Zier-
pflanze eingeführte Goldrute überwuchert die Gegend. Die beiden „Einwanderer"
verändern außerdem chemisch den Boden und nehmen zahlreichen seltenen und
schützenswerten Pflanzen die Nahrung weg. Trotzdem hat die heutige verarmte
Landschaft noch immer ihre Reize. Die im Frühjahr von Robinienblüten silberweiß
leuchtenden Hänge des Klotzes, die im Sommer von den rosavioletten Blüten der
Kronwicke getupften Raine und die goldgelben Blütenteppiche der Goldruten erfreuen unser Auge.

Vor ein oder zwei Jahrzehnten fand man im Badischen wie im Elsaß noch überall in
den Dörfern Nester mit Störchen. Ihr Klappern gehörte zu den Klängen der Landschaft. Auf den Wiesen des Rieselgutes bei Freiburg konnte man ganze Gruppen von
dreißig bis vierzig Störchen beobachten. Und sogar mitten in der Stadt Freiburg ni-
stete auf dem Dach der Universitätsbibliothek ein Storchenpaar. Die durch die
Grundwasserspiegel-Senkung verursachte Austrocknung der Wiesen, Gräben und
Tümpel und das damit verbundene Aussterben der Frösche nahm den Störchen die
Nahrung, und ihre Abwanderung war die Folge. Aber auch die Trockenlegung der
Altrhein-Arme, wo die vom Menschen durchaus nicht geschätzten Schnaken ihre
Brutstätten hatten, hat uns um einiges ärmer gemacht: Nachtigall, Pirol und Wiede-
hopf, die schönsten Vögel und wundervollsten Sänger der Rheinaue sind heute zu
Seltenheiten geworden, und nächtliches Quaken der Frösche ist kaum noch zu hören.

Die Kronwicke

Auf den trockenen Rasenhängen am Klotz leuchten die zartrosa Dolden der Kronwicke, die aus dem Mittelmeergebiet zu uns gekommen ist, wie die Traubenhyazinthe oder andere Pflanzen, die den trockenen, warmen Kalkboden lieben. Sie sind anmutige, anspruchslose Unkräuter, die selbst die versteppten Wiesen und häßlichen Böschungen an der Eisenbahnlinie und an Straßenrändern verschönern.

Rheinschwellen bei Istein

Die Felsbarrieren unter dem Isteiner Klotz liegen durch den seit dem Bau des Seitenkanals niederen Wasserstand des Rheins weithin sichtbar da. Man ahnt jetzt, wie gefährlich sie den Schiffern waren, die einst über ihnen und um sie herumfahren mußten. Durch den ständigen Wechsel des Strombettes bis zum 19. Jahrhundert kannten nur die Einheimischen genau die Lage der Riffe. Sie bestehen geologisch aus Malm-Kalkstein. Die heute freiliegenden Rheinschwellen locken durch ihr pittoreskes Bild viele Besucher.

Kanderner Töpferei

Das kleine Städtchen Kandern am Fuß des Blauen lebte außer von Acker- und Weinbau schon im Mittelalter vom Eisenbergbau und einem „Schmelzofen", in dem auch im 17. Jahrhundert Ofenplatten gegossen wurden. Dieser kleine Hüttenbetrieb wurde im 19. Jahrhundert unrentabel und als neuer Erwerbszweig gewann die alte einheimische Töpferel neue Bedeutung. Um 1900 wurde sie nach Gründung der „Tonwerke", besonders durch Max Laeugers und Richard Bampis kostbare Kunstwerke, bedeutend und weithin bekannt.
Außer nützlichem Geschirr entstanden in Ton auch so lustige Dinge wie das Pfeifchen in Vogelform mit bunter Bemalung.

Im Forsthaus zu Kandern ist dieses seltsame kostbare Tier wohlverwahrt. Als 1605 Markgraf Georg Friedrich besonderes Jagdglück in den Wäldern um Kandern unterhalb seiner Sausenburg hatte, stiftete er dieses silbervergoldete Trinkgefäß eines Augsburger Goldschmieds und dazu ein Gästebuch für alle, die aus diesem Willkommensgefäß getrunken haben. In dem Band, den der Markgraf selbst mit einem Vers eröffnete, steht manch lustiger Reim, wie der 1673 von Otto Friedrich Moltke verfaßte:

Ein Wein Bringt mir Ein Wein
Das kam Woll Uber den Vollen Rein
Ein grobes Wein Brach ich Nieder
Er Soff es auß Und dacht es nieder
Und Nie erb sich gesoffen auß
Da lieff Die grobe Baurn Zur Thür hinauß

Anno 1673 den 12 Februar
Otto Friderich Moltk

Die Ruine Sausenburg

1232 kam der Sausenberg, der von Werner von Kaltenbach an seine neugegründete Propstei Bürgeln geschenkt worden war, durch Kauf an die Markgrafen von Baden, die auf ihm eine Burg erbauten. Danach nannten sie sich Landgrafen zu Sausenberg, obwohl sie seit 1314 mehr in Rötteln wohnten. Schon 1633 wurde die Burg von den Schweden besetzt, 1678 auf Befehl des französischen Marschalls Crequi zerstört und verbrannt, wie viele Burgen und Schlösser in Baden.

Ohne Dach, mit leeren Fenstern stehen seit 1678 die hohen festen Mauern auf dem
Berg überm Tal der Wiese bei Lörrach. Vom 11. Jahrhundert an stand an dieser
Stelle eine Burg des mächtigen Geschlechts der Herren von Rötteln, die dem Basler
Bistum eng verbunden waren, aber 1316 ausstarben. Ihre Nachfolger waren die
Markgrafen von Hachberg-Sausenberg, die größten Herren im „Markgräfler-Land".
Ein Stich von Merian zeigt die ausgedehnte Anlage von Rötteln als einen spätgoti-
schen Bau mit dem romanischen Turm der Burg vor der Zerstörung.

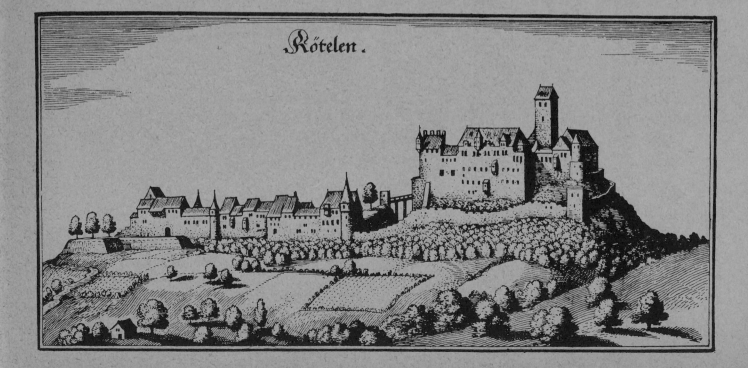

Die Gräber in der Kirche zu Rötteln

Im Gruftgewölbe der Röttelner Kirche ruhen die fürstlichen Gestalten des Markgrafen Rudolf III. von Hachberg-Sausenberg († 1428) und seiner Gemahlin Anna von Freiburg auf Ihren Sarkophagen. Sie sind nicht als Tote dargestellt, sondern mit offenen Augen und lebendigen Antlitzen. Das mannhafte Gesicht des Markgrafen wird von Eisenhelm und Kettenhalsschutz gerahmt; er trägt über dem Brustpanzer ein feingefälteltes modisches Gewand. Der Körper ruht auf Turnierhelm und Wappenschild.

Das liebliche, feine Antlitz der Frau wird vom „Kruseler", der modischen Haube des frühen 15. Jahrhunderts zierlich eingefaßt. In weichen Falten hat sich der hochgezogene Mantel um den schlanken Körper gelegt. Neben ihr liegen die Wappen ihrer Geschlechter. Diese sprechenden, wahrhaft adligen Gestalten hat ein großer, vielleicht aus Basel stammender Künstler gemeißelt. Sie sind Idealbilder, als der Markgraf 86jährig starb, sah er wohl anders aus.

Jetz bisch e Museum worde,
Hebelhüüsli, gel, do spicksch!
Altertümer us de Heimetorte
Traisch jetzt uf de neue Schäft und Borde —
Nusse zeig denn, wie de di dry schicksch!
Me no huetsch in dyne Wände,
wo de n eim an Herz witt lege:
Us de Bilder, Brief un Büecherbände,
wo me g'ordnet het mit gschickte Hände,
chunnt der Hebel lebig eim ergege . . .

Anfang eines Gedichts, 1960 von der Markgräfler Dichterin Hedwig Salm zur Ein-
weihung des Hebelhauses als Heimatmuseum am 200. Geburtstag Johann Peter
Hebels geschrieben.

Das Hebelhaus in Hausen

Ein wenig abseits von der großen Verkehrsstraße, die von Basel aus im Tal der Wiese heraufführt nach Todtnau und dem Feldberg, liegt das Dorf Hausen, aus dem die Mutter Johann Peter Hebels stammt und in dem Hebel nach dem frühen Tod seines Vaters aufgewachsen ist. Geboren wurde Hebel zwar 1760 in Basel, doch sah er Hausen als eigentliche Heimat an, und seine Dichtung erwuchs aus der Landschaft des Wiesentals. Nachdem der lange Zeit amtslose Theologe zu den höchsten Ämtern in Schule und Staat in Karlsruhe aufgestiegen war, verfaßte er um 1820 eine Antrittspredigt für eine Landgemeinde, die er freilich nie halten konnte, und schaut darin auf sein Leben zurück: „. . . Ich bin von armen, aber frommen Eltern geboren, habe die Hälfte der Zeit in meiner Kindheit bald in einem einsamen Dorf, bald in den vornehmen Häusern einer berühmten Stadt (Basel) zugebracht. Da habe ich frühe gelernt arm sein und reich sein. Wiewohl, ich bin nie reich gewesen; ich habe gelernt nichts zu haben und alles zu haben, mit den Fröhlichen froh sein und mit den Weinenden traurig . . . Ich erhielt die Weihe des geistlichen Berufes. An einem friedlichen Landorte, unter redlichen Menschen als Pfarrer zu leben und zu sterben, war alles, was ich wünschte, was ich bis auf diese Stunde in den heitersten und in den trübsten Augenblicken meines Lebens immer gewünscht habe. . . . Ich bin von Stufe zu Stufe gestiegen, aber nie zu einem Pfarramt".

1826 ist der Prälat Hebel in Schwetzingen, fern seiner Kinderheimat gestorben und mit hohen Ehren begraben worden. Aber lebendig ist er im Markgräfler Land geblieben, wo man noch seine Sprache spricht und seine Gedichte lernt und kennt. In seiner Dichtung ist alles bewahrt, was zu dem Fachwerkhaus im Dorf an der Wiese gehört: der Fluß und die Matten, die Irrlichter und der Abend- und Morgenstern, der Mann im Mond und das Hexlein, der Sommerabend und die Christnacht, das Habermus und das Spinnli, der fröhliche Landmann und das Gewitter, vor allem — in Gedanken an den Tod der Mutter auf der Landstraße zwischen Steinen und Brombach — die ungeheure Vision der „Vergänglichkeit" und der Vernichtung des blühenden Landes.

Die ehemalige Deutschordenskommende Beuggen

Am ruhig und doch schnell strömenden Rhein, unweit von Rheinfelden, liegt das 1246 gegründete Schloß des Deutschen Ritterordens. Ein breiter, vom Rhein gespeister Graben sicherte die Wasserburg, von deren Ringmauer und Toren noch bedeutende Reste zu sehen sind. Wappen an Tor- und Schloßbau erinnern an die Erbauer. Im mächtigen Staffelgiebelbau ist der Rittersaal noch ein Zeugnis aus mittelalterlicher Zeit, während das prunkvolle Portal, das behäbige Treppenhaus und die Kirche im 18. Jahrhundert durch den Ordensbaumeister J. C. Bagnato mit spritzigem Rokoko-dekor erneuert wurden. Heute ist ein Schulheim im Schloß, die Kirche dient der katholischen Gemeinde Karsau.

Wappensteine und Fresken an der Burgschmiede in Beuggen

Von den vielen Wirtschafts- und Stallgebäuden, die zum Ordensschloß gehören, geben noch manche durch Aussehen und Schmuck eine gute Vorstellung ihrer früheren Verwendung. So zeigt ein Wandbild an der Burgschmiede neben dem Tor einen Reiter, der sein kräftiges, gesatteltes Roß am Zügel hält. Der Bau ist durch den Stein mit den Ordenswappen 1533 datiert.

Säckingen

Zu Füßen der steilen Berghänge des Hotzenwaldes liegt Säckingen am breiten Rheinstrom, über den noch eine seit dem 15. Jahrhundert vielbefahrene, gedeckte Holzbrücke zum jenseitigen Schweizer Ufer führt. Bis zum Anfang des 19. Jahrhunderts lag die Stadt auf einer Insel. Einige mittelalterliche Häuser und der dicke Gallusturm der ehemaligen Stadtmauer vergegenwärtigen neben dem Münster und der Brücke etwas von dem früheren Leben der heute noch sehr geschäftigen Stadt. Ein besonderer Anziehungspunkt ist das „Trompeterschlößchen", ein jetzt dreitürmiger Bau der Familie von Schönau aus dem 17. Jahrhundert, der durch Scheffels Dichtung „Der Trompeter von Säckingen" weltberühmt wurde. Heute ist darin ein hübsches Heimatmuseum eingerichtet.

Der heilige Fridolin

Auf dem kostbaren silbernen Reliquienschrein im Säckinger Münster, der die Gebeine des Heiligen enthält, steht Fridolin mit einem „Tötlein" an der Hand. Fridolin, ein irischer Mönch, hatte um 500 von der Rheininsel aus die alemannischen Heiden zum Christentum bekehrt. Aus seiner Zelle entstand ein Benediktinerinnenkloster, das durch Schenkungen bald reich wurde. Als einmal eine solche testamentarische Schenkung angefochten wurde, erschien plötzlich der Heilige mit dem Skelett des Stifters Urso in der Hand, um sie zu beweisen. Seither ist der Heilige stets mit dem Toten wiedergegeben. So auch an dem prächtigen Silberschmiedewerk des Augsburger Meister G. E. Oernster, das die Fürstäbtissin Anna Maria von Hornstein nach 1751 machen ließ.

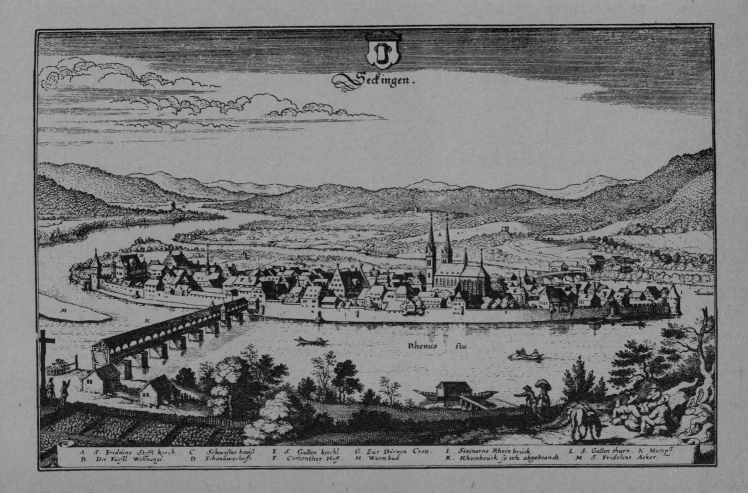

Seckingen.

Rhenus flu.

A. S. Fridolins Stifft kirch.   C. Schwester hauß.   E. S. Gallen kirchl.   G. Zur Dörnen Cron.   I. Steinerne Rhein brück.   L. S. Gallen thurn. N. Mumpf.
B. Die Fürstl. Wohnunge.   D. Schonäwerhoffe.   F. Comenther Hoff.   H. Warmbad.   K. Rheinbruck so ietz abgebrandt.   M. S. Fridolins Acker.

Schon in vorgeschichtlicher Zeit waren die Ufer über den Stromschnellen bei Laufen-
burg besiedelt. Reste einer römischen Villa wurden 1939 auf dem nördlichen Ufer
ausgegraben. Seit dem 11. Jahrhundert wurden hier Schiffe von den „Laufenknech-
ten" durch die Schnellen gelotst oder Waren aus den größeren Schiffen mit Karren
um die reißenden Strudel und Felsen transportiert. Es entstand ein blühender Han-
delsplatz, den Rudolf III. von Habsburg befestigte und auf beiden Ufern durch
Mauern sicherte. Eine Holzbrücke verband schon 1207 und bis ins 19. Jahrhundert
beide Stadtteile. Unterhalb der Pfarrkirche von 1489 und der Burgruine auf dem
Schweizer Ufer drängten sich die alten Häuser dicht, aber auf klar geplantem Stadt-
grundriß, aneinander. Viele alte Bauten sind in romantisch reizvollen Winkeln auf
beiden Seiten des Rheins zu entdecken.

Fischer bei Rheinfelden

Die Berufsfischer haben nur noch wenig Verdienst am Rhein, seit die Verschmutzung die Fänge von Salmen und Hechten zur Seltenheit macht und selbst den Reichtum an „kleinen Fischen" sehr vermindert. Aber ab und zu hängt doch noch ein Fisch an den Angeln der Amateurfischer, die geduldig an den Ufern stehen.

Die Stadt Rheinfelden wurde von der Rheininsel bei der heutigen Brücke aus um 1130 gegründet von den Herzögen von Zähringen, die dort eine Burg der ausgestorbenen Grafen von Rheinfelden mit einer älteren dörflichen Siedlung geerbt hatten. 1218 wurde Rheinfelden Reichsstadt, später habsburgisch und nach langem Hin und Her zwischen Eidgenossen und Österreich schließlich 1803 schweizerisch. Außer den mittelalterlichen Festungstürmen zeigen die Martinskirche, Johanniterkapelle, das stattliche Rathaus mit seinen Wappenscheiben und viele hohe, schöne Bürgerhäuser in den Gassen und Winkeln den Charakter der wohlhabenden Stadt des Mittelalters, um die durch die Industrieanlagen beiderseits des Rheins modernste Bauten zugewachsen sind.

A. Der Brucken thurn.   C. Die Kirch.   E. Der Hellhacken
B. Burgstell, der Stein genant.   D. Pulstthurn so das Wetter zersprengt.

Die kostbare, massiv gegossene Platte wurde mit 255 weiteren Gegenständen 1961/62 bei Augst gefunden. Der Schatz enthält luxuriöse Geräte und unbenutzte Münzen aus der Zeit um 360 n. Chr. und wurde wohl bei dem schnellen Truppenabzug der Römer in den Alemannenkämpfen vergraben. Vielleicht hat er dem Feldherrn Caesar Julianus gehört, der plötzlich um 360 aus Augst abberufen wurde.

Julianus war in Athen aufgewachsen und ein großer Verehrer des griechischen Helden Achilleus, dessen Geschichte auf der Silberplatte dargestellt ist. Im Mittelmedaillon sieht man wie Achill, der als Mädchen verkleidet lebte, durch die List des Odysseus mit schönen Waffen zum Kampf um Troja verlockt wird. Der untere Streifen schildert den Versuch seiner Eltern, das Kind Achill durch Eintauchen im Styx unverwundbar zu machen, doch blieb seine Ferse unbenetzt und verursachte seinen Tod. Auf der Rückseite der Platte ist die Signatur des Künstlers Pausylypos aus Thessalonike (Saloniki).

Der Schatz ist wie die meisten ausgegrabenen Gegenstände — etwa der schöne Möbelfuß aus Bronze in Form eines Meerwesens — im „Römischen Haus" in Augst ausgestellt.

Augusta Raurica wurde 44 vor Chr. von Munatius Plancus als militärischer Stützpunkt und Zivilsiedlung gegründet und wuchs bis zum 2. Jahrhundert nach Chr. zu einer bedeutenden Kolonialstadt an. Durch die eindringenden Alemannen wurde sie zerstört und nach und nach als Steinbruch verwendet. Vieles versank unter dem Acker- und Wiesenboden. Sichtbar blieb noch halb im Boden die Ruine des großen Theaters, das aus mehreren Bauperioden stammt. Ein Holzschnitt in Sebastian Münsters Cosmographie zeigt, wie sie im 16. Jahrhundert aussah, als sie wiederentdeckt wurde. Im weiten Oval der restaurierten Anlage wird heute zuweilen wieder Theater gespielt, und Worte des Sophokles erklingen in der Schweizer Landschaft.

Hugideo findet die Leiche der Römerin Benigna Serena

Das 1873 gemalte Bild des Freiburger Künstlers Fritz Geiges, der vor allem als Restaurator der Freiburger Münsterfenster bekannt ist, zeigt eine Szene aus Victor von Scheffels Erzählung „Hugideo".
Der junge Germane Hugideo, der in Augst mit den Römern gelebt hatte und aus Liebeskummer zum Klausner auf dem Isteiner Klotz wurde, sah von seinem Felsennest aus die Brandwolken aus dem zerstörten Augst aufsteigen. Später fand er die Leiche seiner geliebten, ermordeten Römerin, die der Rhein mit den Körpern der anderen Erschlagenen beim „Totengrien" anschwemmte.

Die vornehme lichtdurchflutete Kirche von Arlesheim wurde 1680 von dem Tessiner Baumeister Jacopo Angelini (Jakob Engel), der zuvor Eichstätter Hofbaumeister war, errichtet. 1759—61 wurde sie aber nach Plänen von Franz Anton Bagnato im Innern völlig erneuert.

Franz Pozzi hat nach einem Modell des Johann Michael Feuchtmayr 1759—61 die Wände mit zartem Rokokostuck überzogen; von Pozzi wurde auch der großartige Hochaltar ausgeführt. Die luftigen, raumhaltigen Deckenfresken malte Joseph Appiani. Die festliche Kirche diente bis 1793 dem Basler Domkapitel, das nach der Reformation aus Basel geflohen war und zunächst in Freiburg residierte, aber 1678 nach Arlesheim kam, als Dom.

Die Silbermann-Orgel in Arlesheim.

Johann Andreas Silbermann junior, ein Mitglied der berühmten Orgelbauerfamilie, wurde 1759 beauftragt, das Werk zu schaffen, dessen heller und reicher Klang uns heute noch begeistert, nachdem die Orgel 1959/62 gut restauriert wurde. Nach Entwurf von Silbermann hat 1761 der Colmarer Bildhauer Anton II. Ketterer aus Schönwald im Schwarzwald den prachtvollen Prospekt mit Puttenköpfen und Ranken aus Eichenholz geschnitzt.

Von der Tüllinger Höhe oder vom Isteiner Klotz aus sieht man Basel als ein riesiges Häusergewirr vor den Höhen des Jura in der Rheinebene liegen. Zwischen Hochhäusern und Industriebauten erscheint der Altstadtkern um das Münster winzig.

Doch auch im Mittelalter war Basel eine große, geschäftige Stadt. Der Münsterberg, schon 1000 v. Chr. besiedelt, trug in römischer Zeit ein Kastell. Alemannendörfer lagen in Kleinbasel. Vom 11. bis 14. Jahrhundert wuchs die Stadt stetig, wurde durch Handel auf dem Rhein und nach dem Bau der Gotthardstraße im 13. Jahrhundert sehr reich. 1431–1447 tagte in Basel das Konzil, 1460 wurde die Universität gegründet. In der Zeit des Humanismus und der Reformation war sie ein geistiges Zentrum in Europa, gleichzeitig entstand ihre Textilindustrie. Im 19. und 20. Jahrhundert nahm die Industrie vor allem durch Chemiekonzerne einen gewaltigen Aufschwung, der sich in der Ausweitung und Modernisierung der Stadt zeigt.

Dreiländereck

Ein raketenartig aufschießender Pylon am Basler Rheinhafen steht als Denkmal an der Stelle, an der die Schweiz, Deutschland und Frankreich zusammenstoßen. Das Gebilde schraubt sich aus drei flügelartigen Platten, die jeweils Kreise mit den Landesfarben tragen, als Einheit in den Himmel und macht in seiner Form die erwünschte Eintracht der Oberrheinlande anschaulich.

Im Mittelalter war der Rhein keine Staatsgrenze, die Länder an seinen Ufern waren durch gleiches Volkstum, Bräuche, Religion und Geistigkeit ebenso verbunden wie durch Handel, Gewerbe und durch Acker- und Weinbau. Erst die Kriege zwischen Habsburg und den Eidgenossen, dann die langjährigen Kämpfe des 17. Jahrhunderts trennten die Länder und machten den Rhein zur Grenze, die er bis heute ist. Doch trägt er jetzt Schiffe der Europäischen Wirtschaftsgemeinschaft, und über ihn hinweg begegnet sich die Jugend Europas freundschaftlich.

Wer je im kühlen Dunkel des frühen Morgens die unheimlichen Trommelklänge gehört hat und im phantastischen Schein der Laternen die seltsamen Gestalten der
Trommler auftauchen sah, der vergißt den Tag der Basler Fasnacht nicht. Aus biede-
ren Geschäftsleuten und Bürgern werden Geister-Cliquen, selbst wenn sie mit grim-
migen „Waggis"-Masken an die Bauern aus dem Wasgenwald erinnern, die zum
Markt nach Basel kamen oder mit Lockenperücken und Tellerkragen an die ehrwür-
digen Vorfahren im 17. Jahrhundert. Die Basler Fasnacht zieht jetzt viele Fremde an
als Touristenattraktion, doch würden die Basler sie lieber ohne Sensation, in sich
gekehrt und bedächtig wie früher, feiern.

Die Basler Stadtherrlichkeit

Masken spielen in Basel eine große Rolle. Auch an den Gewänden der Rathausfenster sind sie zu sehen, wenn man die große Freitreppe im Hof hinaufsteigt. An deren Aufgang steht das Renaissance-Standbild des Munatius Plancus, des Gründers von Augst und Ahnherrn von Basel, er bezeugt die vornehme Herkunft der Stadt aus der Römerzeit und ihre Wehrhaftigkeit. Der große spätgotische Bau des Rathauses am Markt, das später vielfach und im 19. und 20. Jahrhundert besonders stark umgebaut wurde, repräsentiert in Bauformen, Wandgemälden und Skulpturen die mächtige Stadtherrschaft des Rates.

Seine politische und wirtschaftliche Verbundenheit mit den angrenzenden Gebieten am Oberrhein zeigt die Zugehörigkeit Basels zum „Rappenmünzbund", dem auch unter anderen die Städte Freiburg, Colmar, Breisach und Thann angehörten. Die schönen Münzprägungen erfreuen heute alle Sammler; einst zeigten sie die Wirtschaftskraft der Münzherren. Die Basler Münze wurde nach Entwurf des großen Schweizer Künstlers Urs Graf geprägt.

Während in den großen Geschäftsstraßen im Tal zwischen Münster- und Petersberg die alten Häuser weitgehend umgebaut und abgerissen wurden, um den veränderten Lebensbedingungen zu entsprechen, haben sich in den Gassen, die an den Bergen aufsteigen, viele charaktervolle alte Häuser und Plätze erhalten, wie am Gemsberg, wo mehrere spätgotische Bürgerhäuser mit den gekoppelten Fenstern der Zeit um 1500 an dem hübschen Platz mit dem Gemsbrunnen stehen.

Auf den Höhen findet man die vornehmen Rokoko-Palais der reichgewordenen Basler Honoratioren, etwa das Haus des Rechenrats Jeremias Wildt, das Joh. Jakob Fechter 1762/63 am Petersplatz erbaute, oder den großartigen „Reichensteinerhof", auch „Blaues Haus" genannt, den sich der kunstfördernde und vor allem musikliebende Patrizier Lukas Sarasin von Samuel Werenfels 1762—68 entwerfen ließ. Die beiden Brüder Lukas und Jakob Sarasin erbauten sich anstelle mehrerer gotischer Adels- und Bürgerhäuser die zwei vornehmen Palais mit Fassaden zum Rhein und mit Ehrenhöfen an den Rückseiten an der Martinsgasse, deren feindekorierte Bauteile mit schwungvollen schmiedeeisernen Gittertoren abgeschlossen sind.

Die Galluspforte am Basler Münster

Von dem Berg, der schon ein Römerkastell und eine karolingische Pfalz mit einer Kirche trug, überragt immer noch das Münster mit seinen beiden Türmen die Altstadt Basels. Ein Neubau unter Kaiser Heinrich II., der 1019 geweiht wurde, ist nach dem Brand 1185 durch den jetzigen herrlichen, romanischen Bau ersetzt worden. Er verlor beim Erdbeben 1356 die ursprünglichen Oberteile des Chors und die Langhausgewölbe. Durch gotische Seitenkapellen (jetzt Seitenschiffe) hat man ihn noch verbreitert.

Die Galluspforte am Nordquerhaus ist neben den feingemeißelten Kapitellen und Friesen des Chores ein Zeugnis für die hohe Kunst der romanischen Steinmetzen, die Anregungen italienischer und burgundischer Kunst mit eigener Schöpferkraft und Feinheit verarbeiteten.

Das Portal zeigt den thronenden Christus neben den Kirchenpatronen und dem Stifter mit der Pforte, darunter das Gleichnis von den Klugen und Törichten Jungfrauen vor der Himmelstür. In den Gewänden stehen die Evangelisten als Glaubensboten und seitlich mahnen die „Taten der Barmherzigkeit" zu christlichem Leben. Über den beiden Heiligen Johannes und Stephan blasen die Engel zum Jüngsten Gericht und zur Auferstehung der Toten. Wie in Basel, so zeigen auch die Auferstehenden am Münster zu Colmar die Eile der Menschen, in den Himmel zu kommen. Die Tür als Ganzes stellt den Eingang zum „Himmlischen Jerusalem" dar.

Hinter Basel, im Birsigtal, liegt das Schloß Bottmingen von Wasser umgeben, das heute als Restaurant Verwendung findet. Eine Tiefburg aus dem 13. Jahrhundert wurde mit ihren vier Rundtürmen im 17. Jahrhundert modernisiert — wie Kirchhofen und Inzlingen bei Lörrach — um den neuen Kriegswaffen standzuhalten. Um 1720 wurde sie mit großen hellen Fenstern und neuer Ausstattung wohnlicher und heiterer eingerichtet.

Pfirt (Ferrette)

Auf dem Hügel über den hübschen alten Häusern von Pfirt, die sich dem Hang an-
schmiegen, liegen zwei Burgruinen des ehemals mächtigen Geschlechts der Grafen
von Pfirt. Das obere Schloß Hohenpfirt ist 1125 zuerst erwähnt. Der mittelalterliche
Bau wurde um 1560 von den Augsburger Kaufleuten Fugger, die ihn als Pfand erhalten hatten, neu befestigt. Im 30jährigen Krieg erkämpften die Schweden ihn zwei-
mal. 1659 war der berühmte Kardinal Mazarin sein Besitzer.
Das untere Schloß mit seinen Rundtürmen ist vermutlich im 14. Jahrhundert entstanden, als Pfirt nach dem Tod des letzten Grafen 1324 an Österreich kam. Von seinen in der Revolution zerstörten Mauern steht beträchtlich mehr als vom Oberschloß

Immer sind Kirchen, die dem heiligen Stephan geweiht sind, sehr frühe Gottes-
häuser, auch wenn sie — wie in Mülhausen — mehrfach neu erbaut wurden. Die
jetzige evangelische Kirche St. Stephan wurde 1866 in neugotischen Formen, anstelle eines romanischen, im 14. Jahrhundert erweiterten Baues errichtet. Aus diesem stammen die leuchtenden Farbfenster mit Darstellungen aus der Heilsgeschichte. Sie wurden um 1330/40 von den Grafen von Pfirt gestiftet und enthielten
ursprünglich 108 Szenen aus dem Alten und Neuen Testament, davon sind heute
noch 89 Darstellungen vorhanden. Der Glasmalereizyklus beginnt mit der Erschaf-
fung Evas und dem Sündenfall und endet mit dem Weltgericht. Die gleiche dekora-
tive, architektonische Rahmung der Szenen ist in Glasmalereien in Colmar, Straßburg und Freiburg zu finden und bezeugt den künstlerischen Zusammenhang der
oberrheinischen Werkstätten des 14. Jahrhunderts.

Mühlhausen im obern Elsas.

Das Rathaus von Mülhausen (Mulhouse)

Die Stadt Mülhausen ist aus zwei Siedlungen hervorgewachsen, die teils seit 1000 n. Chr. dem Bischof von Straßburg, teils als Eigengut im 12. Jahrhundert den Hohenstaufen gehörten. Sie erhielten nach der Zerstörung der bischöflichen Burg durch Rudolf von Habsburg von Adolf von Nassau 1293 die Rechte einer Reichsstadt. Die Lage am Eingang zur „Burgundischen Pforte" hat Mülhausen in viele Kriege verwickelt und durch Parteihändel ihrer Familien an den Rand des Ruins gebracht. Sie blieb dennoch durch ihre tüchtigen gewerbe- und handelstreibenden Bürger eine wohlhabende Stadt. Seit sie 1746 mit der Fabrikation gedruckter Baumwollstoffe den großen wirtschaftlichen Aufschwung zu einer modernen Industriestadt bekam, und seit durch den Kalibergbau nach 1904 auch chemische Fabriken entstanden, hat Mülhausen ein neues Gesicht.

Von den wenigen erhaltenen, alten Bauten ist das Rathaus von 1552 mit der großen doppelläufigen Freitreppe und der Fassadenmalerei der Spätrenaissance um die gekoppelten Fenster am eindrucksvollsten. Es hat viel Verwandtschaft mit Schweizer Rathäusern, was nicht verwunderlich ist, da Mülhausen damals — seit 1515 — zur Eidgenossenschaft gehörte. Im Innern schmücken viele Schweizer Wappenscheiben die Fenster des Ratssaales.

Der Romanusschrein in Reiningen (Reiningue)

In dem Sundgauort Reiningen, der nach der Zerstörung im zweiten Weltkrieg fast völlig neuerbaut wurde, besitzt die Pfarrkirche einen beachtlichen Kirchenschatz, der aus dem nahegelegenen Augustiner-Kloster Oelenberg stammt.

Eine Inschrift nennt den Geistlichen Algoldus als Stifter des großen Schreines, der im frühen 12. Jahrhundert angefertigt wurde, um die Gebeine des Heiligen Romanus in kostbarer Hülle aufzubewahren. An den Schmalseiten sind in Silberreliefs Szenen vom Leben und Leiden der Märtyrer Romanus und Laurentius dargestellt, und an den Langseiten erscheinen Christus und die Muttergottes mit den Aposteln. In feinen Blattranken sind auf dem Dach die Evangelistensymbole eingefügt. 1510 wurden spätgotische Ergänzungen bei einer notwendigen Restaurierung zugefügt.

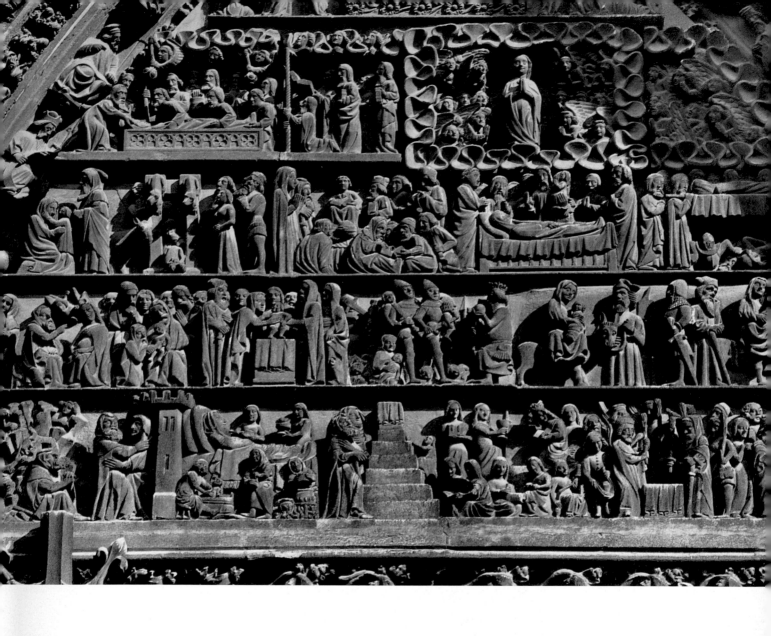

Kunstwerke aus Thann

Am Eingang zum Thur-Tal liegt das Dörfchen Alt-Thann, das den Grafen von Pfirt gehörte. Die Kirche war bis 1389 Mutterkirche des Städtchens Thann, das im 13. Jahrhundert nahebei entstand. Von einem Beghinenkloster, das 1289 gegründet wurde und im 15. Jahrhundert von Augustinerinnen bewohnt war, steht noch das auch als Wallfahrtskirche benutzte Gotteshaus aus der Mitte des 15. Jahrhunderts. Ein Heiliges Grab mit reicher spätgotischer Architektur und lebensvollen, feingemeißelten Figuren der trauernden Frauen und Engel läßt uns daran denken, mit welcher Andacht einst die frommen Klosterfrauen und Pilger davor knieten und sich die Passion Christi vergegenwärtigten.

Im Städtchen Thann, das 1360 Stadtrechte erhielt und gleichzeitig ummauert wurde, war schon 1320 anstelle einer kleinen Wallfahrtskapelle die große Kirche St. Theobald begonnen worden, die die Reliquien des Titelheiligen würdig umfangen sollte. An dem Bau wurde bis zu Beginn des 17. Jahrhunderts gearbeitet, sein hochstrebender Chor, der 1351—1422 entstand, das figurenreiche, erzählfreudige Westportal aus der Mitte des 14. Jahrhunderts und der zierliche Turm sind Meisterleistungen der mittelalterlichen Kunst im Elsaß.

Die Kirche von Ottmarsheim

Wenige Werke des an romanischer Kunst so reichen Elsaß sind so eindrucksvoll und bedeutend wie die Kirche der ehemaligen Benediktinerinnenabtei. In dem 881 zuerst genannten Ort Ottmarsheim an der alten Römerstraße, die Straßburg und Augst verband, wurde das Kloster um 1030 gegründet von Rudolf von Ottmarsheim. Die Kirche soll schon 1049 von dem Papst Leo IX., der aus dem Elsaß, aus Egisheim stammte, geweiht worden sein. Als achteckiger Zentralbau mit umlaufender Empore für die Nonnen ahmt sie vereinfacht die Pfalzkapelle Karls des Großen in Aachen nach. Trotz Anbauten des etwas späteren Westturms und gotischer Kapellen ist der Bau in seiner schlichten, kantigen äußeren Gestalt wohl erhalten, doch trug er früher über dem Bruchsteinmauerwerk noch eine Verputzschicht, die vielleicht sogar bemalt war.

In der Kirche von Ottmarsheim

Gegenüber dem einfachen, festgeschlossenen Außenbau wirkt der Innenraum fein-
gliedrig und reich. Die Wände sind in Arkaden aufgelöst, die in dreifacher Stufung
übereinanderstehen. Diese großzügige und klare Gliederung entspricht ganz dem
Vorbild der Aachener Pfalzkapelle, nur sind hier die Kapitelle vereinfacht zur stren-
gen Würfelform der Baukunst des 11. Jahrhunderts.
Wir müssen uns diesen Raum früher buntfarbig bemalt vorstellen. Auch die Fenster
hatten Farbverglasung. Jetzt sind nur im Chor Fresken aus dem Umkreis des Colmarer Meisters Martin Schongauer aus der Zeit um 1500 erhalten.

Das Rathaus von Ensisheim ist nicht nur Mittelpunkt des schon im 13. Jahrhundert als Stadt bestehenden Ortes, sondern war 1535 Sitz des vorderösterreichischen „Regiments". Denn von Ensisheim aus wurden die österreichischen „Vorlande", d. h. die Gebiete nördlich der Alpen, verwaltet.

Der im 16. Jahrhundert errichtete Bau hat über einer offenen, gewölbten Halle einen großen, von den hohen, spätgotischen Kreuzstockfenstern erhellten Saal, in dem viele deutsche Kaiser bei den Tagungen den Vorsitz hatten.

Nachdem das Elsaß 1648 an Frankreich kam wurde aus dem Regierungssitz, den man nach Freiburg verlegte, das städtische Rathaus.

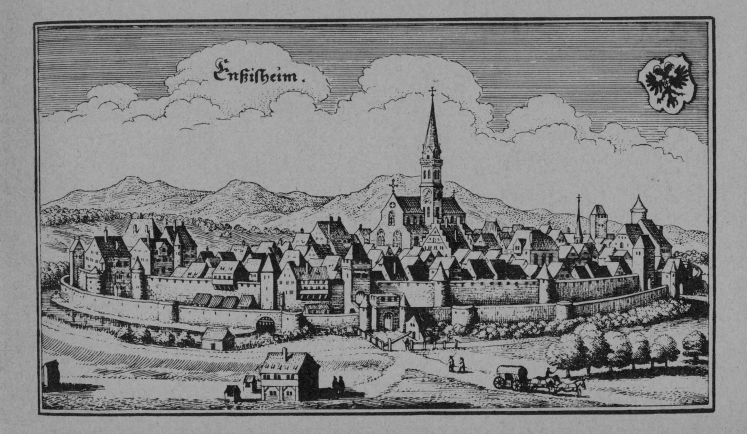

Der Meteorit von Ensisheim

Neben manchen geschichtlich interessanten Dokumenten wird im Saal des jetzigen Rathauses ein riesiger Meteorit gezeigt. Er soll der älteste in Europa sein, von dessen Aufprall wir den genauen Ort und die Zeit wissen. „Fiel anno 1492, den 7. November, um halbzwölf mit Donnerschlag von oben herab auß dem Gewülk" berichtet die Chronik von dem Ereignis, das ein Flugblatt des Sebastian Brant 1497 mit einem beängstigenden Bild illustrierte. Der Stein wog ursprünglich 127 Kilogramm.

Inmitten der Waldeinsamkeit zu Füßen des Großen Belchen gründete der heilige Pirmin 728 mit dem Stifter Graf Eberhard vom Nordgau zusammen das Kloster, das zu den mächtigsten und bedeutendsten im Elsaß gehörte und schon in karolingischer Zeit ein geistiges und kulturelles Zentrum war. In engster Verbindung zum burgundischen Kloster Cluny, z. T. durch Personalunion des Abtes wurde der Konvent Murbach Träger der cluniazensischen Reformen.

Im 11. und 12. Jahrhundert ist der großartige Bau der Klosterkirche errichtet worden, deren Ostteile mit ihren wunderbar gemeißelten Quadern aus rotem Vogesensandstein zwischen den Tannenwäldern stehen.

Das Langhaus wurde als „baufällig" abgerissen und zum Bau der neuen Kirche des Konvents in Gebweiler verwendet. Denn 1764 hatte der Papst seine Einwilligung zur Umwandlung in ein weltliches Ritterstift gegeben, 1768 verließen die „Herren" das Waldtal, um in dem weltoffenen Gebweiler hübsche, bequeme Wohnungen zu beziehen und ihren Gottesdienst in der 1785 vollendeten Liebfrauenkirche zu halten.

Dieser imponierende klassizistische Bau, der 1766—85 nach Entwürfen von Beuque aus Besançon durch Gabriel Ignaz Ritter aus Bregenz ausgeführt wurde, enthält ein geschnitztes Chorgestühl und eine pathetische Altardekoration des Wenzinger-Mitarbeites Fidelis Sporer aus Weingarten, dem seine Tochter Helene als Schnitzerin half.

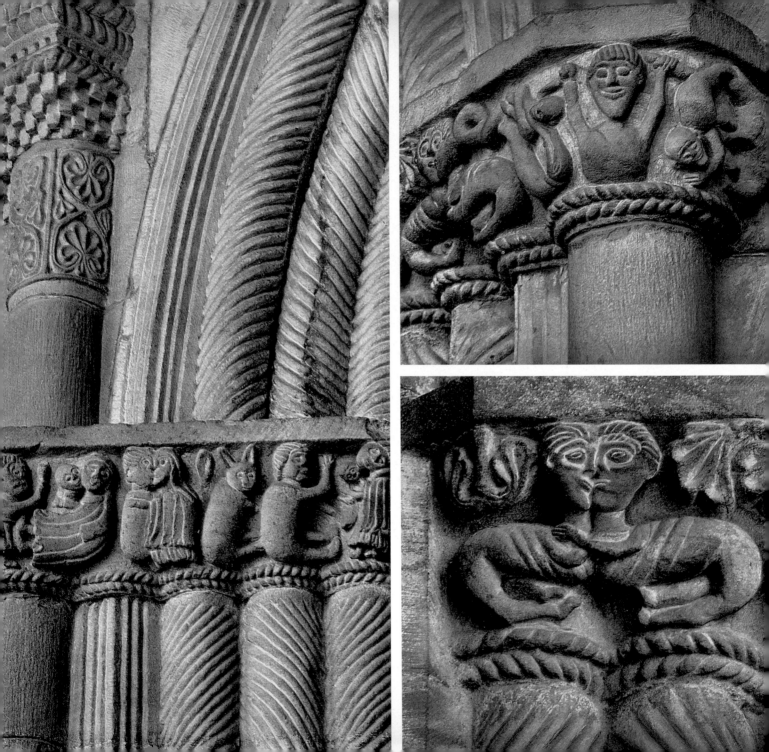

Romanische Kunstwerke in Gebweiler (Guebwiller) und Lautenbach

Das Dorf Gebweiler gehörte zu den Besitzungen der Abtei Murbach und erhielt im 13. Jahrhundert Stadtrechte und eine Ummauerung, die mehrfach erweitert wurde. Von 1182 — 1200 baute man dem Heiligen Leodegar eine neue Kirche mit zwei West-türmen über einer gewölbten Vorhalle und einem mächtigen, achteckigen Vierungs-turm. Die wuchtigen Formen der Bauteile und plastischen Verzierungen sind charak-teristisch für die elsässische romanische Kunst. Wir finden sie auch an verwandten Bauten, etwa im nahen Lautenbach.

In der Vorhalle der Augustiner-Stiftskirche von Lautenbach, deren Westbau um 1140/50 entstand, sehen wir an Gewölben und Portalrahmen diese schwellende, mit Fabelwesen verzierte Bauplastik.

Der uralte Ort Rufach war Königsgut und wurde von König Dagobert II. um 662 an den Bischof von Straßburg verliehen. Er blieb bis 1663 Hauptort des oberen Mundats von Straßburg und kam dann an die französische Krone. 1238 erhielt Rufach Stadtrechte und die alte Pfarrkirche wurde in einen herrlichen frühgotischen Bau mit aufwendiger Westfassade nach Vorbild des Straßburger Münsters verwandelt. Doch wurden die in feiner Steinmetzarbeit gemeißelten Türme nie fertig, weil die Stadt an Bedeutung verlor. Der Kirche gegenüber, am weiten Platz des früheren Friedhofs, liegen an der Stadtmauer und beim Hexenturm mehrere stattliche Bauten des 16. Jahrhunderts, die ihre gotischen Treppen- oder barocken Volutengiebel der Kirche zuwenden. Links neben dem Hexenturm stehen die zwei Rathausgebäude von 1581 und 1617. Rechts ist das große Kornhaus, über dessen einst ganz offener Verkaufshalle im Obergeschoß ein großer Saal liegt, der durch eine Freitreppe zugänglich ist.

Pfaffenheim

In dem winkeligen Dorf in den Rebhängen steht zwischen den bäuerlichen Fachwerkhäusern erhöht die Pfarrkirche. Ihr Langhaus und Turmoberbau wurden 1893
erneuert, doch empfängt den zu ihr Aufsteigenden ein prachtvoller romanischer
Chor, dessen Aufbau nach dem Vorbild des Basler Münsterchores und in enger Verwandtschaft zum romanischen Chor des Freiburger Münsters um 1200 gestaltet
wurde.

In dem Städtchen Egisheim, das zwischen sanften Rebhängen eingebettet liegt, scharen sich viele schöne alte Fachwerkhäuser um den mächtigen achteckigen Mauerkranz der ehemaligen Wasserburg der Grafen. Die Straßen verlaufen gekrümmt konzentrisch um die Burg. Zwischen den Häusern der Bürger stehen große Dinghöfe, der hier begüterten Klöster Pairis und Eschau mit Fachwerk und Treppentürmen. Besonders hübsch ist der Hof des Dominikanerinnenklosters Unterlinden zu Colmar, das von hier wohl seinen Wein bezog. Lustige, keilförmig zulaufende Häuschen sitzen auf der alten Hofmauer am Tor.

Die drei Exen

Von weither sieht man über dem Ort Egisheim auf dem waldüberzogenen Berg drei Türme hervorragen. Sie gehören zu den drei verschiedenen Burgen der Grafen von Egisheim: „Weckmund", „Wahlenburg" und „Dagsburg". Die Dagsburg wurde als erste nach 1141 aus mächtigen unregelmäßigen Quadern mit Buckelquadern an den Kanten erbaut. Die Bergfriede der etwas später erbauten beiden anderen Vesten haben prächtiges Buckelquaderwerk, wie wir es von vielen Burgen und Stadttoren der Stauferzeit kennen. Die Burgen wurden schon 1466 im „Sechsplappertkrieg" zerstört.

Von ihren Ruinen aus sieht man weit hinaus über Vogesenwälder, Weinberge und über die Rheinebene hinweg zur Bergkette des Schwarzwaldes. Um dieses Ausblicks willen wandern viele Menschen hinauf — oder fahren heute auf der bequemen, herrlichen Waldstraße, die bis fast unter die Ruinen führt. Während wir sie heute schnell fotografieren, hat Victor von Scheffel sich Zeit gelassen, sie sorgsam zu zeichnen.

Die Martinskirche zu Colmar

Um die Martinskirche herum lagen die ältesten Gehöfte, aus denen durch ständige Erweiterung später unter Kaiser Friedrich II. die Reichsstadt Colmar entstand. Um 865 wurde die erste Martinskirche erbaut; die jetzige ist der dritte Bau an dieser Stelle. Er wurde im 13. Jahrhundert in frühgotischen Formen begonnen und mit hochgotischem Langhaus und Turmbauten weitergeführt. Der ausgedehnte Chor entstand erst im 14. Jahrhundert. Das schöne Gotteshaus besteht aus einem prachtvollen, gelbrot leuchtenden Sandstein.

Am Südquerhaus ist im Portal die Darstellung des heiligen Nikolaus, der armen Mädchen goldene Kugeln schenkt, damit sie eine Aussteuer kaufen können. Köstlich ist die Freude der Jüngferle zu sehen, die eben noch trauerten.

Die Kirche wurde von den Colmarer Bürgern reich ausgestattet. Das schönste Kunstwerk darin ist das Altarbild der „Muttergottes im Rosenhag", das der Colmarer Meister Martin Schongauer 1475 gemalt hat.

Colmar

Welche Bedeutung die Stadt einst hatte, zeigt sich an dem anspruchsvollen, künstlerisch hervorragenden Bau des „Koifhus", der 1480 mit der großen Halle im Erdgeschoß und dem fensterreichen Saal im Obergeschoß ein hochmodernes würdiges Haus der Kaufleute war. Im Winkel dazu wurde im 16. Jahrhundert ein Anbau auf drei Arkaden mit einem hübschen Treppenturm und einer echt elsässischen Holzgalerie hinzugefügt. Davor steht ein Brunnen mit der Statue Lazarus Schwendis, der die Tokayer Rebe in der ausgestreckten Rechten hält.
Von der Treppe auf der Rückseite dieses Anbaues sieht man in die Gassen mit den schönen Fachwerkhäusern der Colmarer Handwerker.

Viele schöne alte Häuser aus dem Mittelalter, in Renaissance- oder Barockformen, interessante Bauten des 19. Jahrhunderts und „Jugendstils" stehen in den Colmarer Gassen und Straßen. Sie sind reich an geschmückten Portal- und Fensterrahmen, geschnitzten Fachwerkbalken, zierlichen Erkern und hübschen Höfen. Überall sind kunstvoll gemeißelte oder geschmiedete Brunnen zu entdecken, und wer sich Zeit lassen kann, findet in der ganzen Stadt beim Herumstreifen Werke der elsässischen Handwerkskunst. Die schönsten sind freilich im Unterlindenmuseum aufbewahrt und wirkungsvoll aufgestellt.

Das kostbarste Werk, das im Unterlindenmuseum zu sehen ist, ist der große Flügel-
altar aus dem Antoniterkloster Isenheim. In den Stürmen der französischen Revolu-
tionszeit wurde er von Colmarer Bürgern vor der Vernichtung durch die Soldaten
gerettet. Heute zieht er Tausende nach Colmar. Die Kunst seines Malers Mathis,
genannt Grünewald, war lange unerkannt wie der Name des Meisters. Nun sehen
wir wieder die unbeschreibliche Feinheit und Kraft dieses Künstlers, der in seinen
Gemälden das Grausamste und Unheimlichste vereint mit Anmut und zartester
Schönheit. Er schildert die Dämonenbrut, die den heiligen Antonius zu Boden ge-
worfen hat und bedrängt, um ihn in Versuchung zu führen. Antonius ist der Kloster-
patron. Das Bild auf dem Flügel zeigt ein wesentliches Ereignis seines Lebens. Ein
Stich Martin Schongauers stellt es ähnlich dar.

Engelsmusik im Isenheimer Altar

Neben dem Flügelbild, das die liebliche Gottesmutter mit dem Kind auf dem Arm im geschlossenen Garten ihrer Keuschheit zeigt, steht der merkwürdige Bau mit den musizierenden Engeln und der knienden Maria. Es ist ein spätgotisches Gehäuse, dem Lettner im Breisacher Münster eng verwandt, aber mit goldenen Säulen und Gestalten von Propheten geschmückt. Im Bogenfeld der Pforte ist Gottvater zu sehen, der dem knieenden Moses die Gesetzestafeln übergibt. Dies ist ein Hinweis, daß das Gebäude den Tempel des Alten Testaments bedeutet, der im himmlischen Jerusalem liegt. In seinem Tor kniet die Jungfrau Maria, deren Antlitz in einer Gloriole verklärt ist. Über ihr halten zwei Engel Krone und Szepter. So erscheint sie zugleich — wie die Propheten es weissagten — als Himmelskönigin. Um sie herum musizieren die Engel in vielfacher Gestalt mit Zartheit und tiefem Ernst.

In den Hochvogesen

Zu jeder Jahrszeit, selbst im Winter, ist eine Fahrt oder Wanderung auf dem Vogesenkamm, der Route des Crêtes, ein unvergeßliches Erlebnis. Zwischen den tiefer-
gelegenen Wäldern mit herrlichen Tannen und Buchen erheben sich die buckligen
kahlen Höhen, von denen aus man nach jeder Seite in unermeßliche Weite schaut.
Tief unten liegt einerseits die Rheinebene, buntgefleckt mit Feldern und Ortschaf-
ten, dahinter dehnt sich der Schwarzwald. Auf der anderen Seite leuchten die wunderbar stillen Seen in Karen unter den steilen Hängen, und der Ausblick reicht über
zahllose Waldketten tief nach Lothringen hinein.
Der Lac de Blanchemer und der Weiße See sind wie der Feldsee im Schwarzwald
ganz umschlossen von dichten Wäldern.
Über die kahle Weide des Rothenbachkopfes läuft der Wanderweg, der vom heiß-
umkämpften Hartmannsweilerkopf im Süden über den ganzen Vogesenkamm bis
zum Pfälzer Bergland führt.

Im Haus Albert Schweitzers in Günsbach

Günsbach ist ein einfaches elsässisches Dorf ohne historische oder kunstgeschicht-
liche Denkmäler. Dennoch ist es ein Ort von europäischer Bedeutung als Heimatort
des „Urwalddoktors" Albert Schweitzer. Er ist zwar nicht hier, sondern in Kaysersberg geboren, doch wuchs er hier im Pfarrhaus als fröhlicher Bub auf und kehrte
nach seinen Studien in Straßburg, England und in seinem Leben voller Kämpfe, Ent-
behrungen, Enttäuschungen aber auch voll Erfolg und weltweitem Ruhm immer wieder aus Afrika hierher zurück. Seine Persönlichkeit war von deutscher und französi-
scher Geistigkeit geprägt, durch elsässische Eigenart gewachsen und durch die
Kräfte wahrhaft protestantischen Glaubens immer neu gestärkt.
Er war ein glänzender Gelehrter, Prediger, Orgelspieler und Schriftsteller. Diesen
Ruhm gab er auf, um nichts zu sein, als ein Helfer, ein Arzt, für die an Leib und Seele
Leidenden. So wurde er aus Verzicht ein großer Mensch.
Das schlichte Haus, das er in Günsbach immer bewohnte, das einfache, altmodisch
möblierte Zimmer mit den Geräten, die er benutzte, spiegelt Schweitzers Wesen
völlig wieder. Da steht die klanglose Übungsorgel, an der er Fingerübungen machen konnte, ohne andere Menschen zu stören. Diese Rücksicht auf andere zeich-
nete ihn aus.

Zwischen den Reb- und Waldhängen am Ausgang des Weißtales streckt sich das alte Städtchen am Fluß entlang. Über ihm thront die Ruine der Burg aus der Stauferzeit. Von den vielen Fachwerkhäusern, die meist Jahreszahlen des 15. und 16. Jahrhunderts an Balken oder Türen tragen, hat manches noch gotische Mauern. Reizende Höfe und Kapellen, wie der schöne Oberhof an der Weißbrücke, sind zu entdecken.

Die teilweise noch romanische Pfarrkirche, deren wuchtiges Portal mit der Marienkrönung im Bogenfeld typisch für die oberrheinische Plastik um 1200 ist, enthält neben dem geschnitzten Hochaltar und dem Heiligen Grab noch andere Kunstwerke aus spätgotischer Zeit.

In Kaysersberg steht Albert Schweitzers Geburtshaus. Ein anderer großer Theologe und Humanist ist hier aufgewachsen: Johann Geiler von Kaysersberg (1445—1510). Er wurde in Schaffhausen geboren, studierte an der neugegründeten Universität Freiburg und erwarb dann als Münsterprediger in Straßburg europäischen Ruhm.

Epitaph des Lazarus von Schwendi in Kientzheim

In der Oberkirche von Kientzheim, wo auch eines seiner Schlösser steht, liegt Lazarus von Schwendi neben seinem Sohn Hans Wilhelm begraben. Das Epitaph gibt uns das Bildnis des 1584 in Kirchhofen i. Br. verstorbenen kaiserlichen Feldhauptmanns und Türkensiegers getreu wieder. Die mächtige Gestalt im Feldharnisch tritt uns wie aus einer Tür entgegen. Er lehnt sich mit der Rechten auf den Feldherrenstab.

Lazarus wurde 1522 in Mittelbiberach geboren und hat zunächst einmal in Basel studiert, doch lockte ihn das Soldatenleben mehr als ein Amt. 24jährig trat er in kaiserliche Dienste, kämpfte im Schmalkaldischen Krieg gegen Protestanten, dann in den Niederlanden, später in Ungarn, wo er die Festung Tokay 1566 eroberte. Damals erbeutete er „10.000 Dukaten und 4.000 Fässer besten Tokayer Weins". Dies brachte ihm den nicht berechtigten Ruhm ein, Tokayer Reben an den Kaiserstuhl und ins Elsaß mitgebracht haben. Er war ein großer Feldherr, aber auch ein bedeutender Humanist.

Schwendi hat schon 1560 die Herrschaft um das Schloß Burkheim am Kaiserstuhl erworben, dann 1563 das Schloß und die Herrschaft Hohenlandsberg, wozu Kientzheim und Umgebung gehörte, 1575 die Landvogtei Kaysersberg und kurz vor seinem Tod 1577 das Schloß Kirchhofen.

Reichenweier (Riquewihr)

Heute wimmelt es in Reichenweier vom Frühjahr bis zum Herbst von Fremden, die mit unaufhörlich klickenden Photoapparaten durch die alten Gassen streifen und die hübschen Fachwerkhäuser mit ihren geschnitzten Balken, die romantischen Höfe und Weintrotten „aufnehmen". Nehmen sie sie wirklich auf? Sehen sie, daß in diesen gealterten, etwas bröckelnden Häusern und von eigentümlichen Gerüchen erfüllten Gassen abseits der bevölkerten Hauptstraße Menschen leben und wohnen? Bedenken sie, daß hier nicht nur verkauft und getrunken, sondern auch hart in Weinberg und Acker gearbeitet wird? Vom Herbst bis zum Frühjahr gehört der Ort wieder ganz den Einheimischen, die in den alten Fachwerkhäusern geboren sind.

Reichenweyer.

1. Das Schloß. 2. Die 3 Kirchen auff einem Kirchhofe. 3. Das Rahthauß. 4. Das Vnter thor. 5. Das Ober thor. 6. Der Schanenberg da der Edelste wein dyes lands wachset.

Hunaweier (Hunawihr)

Es gab einmal im 7. Jahrhundert eine heilige Huna, deren Gebeine in dem Kirchlein verehrt wurden, das hoch über dem Dorf in den Weinbergen steht. Hinter dem wie eine Festung im 15. Jahrhundert ummauerten Friedhof erscheint der gotische Chor von 1524 und der hohe, alte Chorturm. Der uneinheitliche Bau ist kein Werk hoher Kunst, aber einzigartig als eine Art Kirchburg, wie sie in Siebenbürgen üblich war. Auch ist er mit der lieblichen Landschaft ringsum aufs Engste verwachsen.

Rappoltsweiler (Ribeauvillé)

Unter den drei Rappoltsteiner Schlössern, deren Ruinen heute noch mächtig und herrschaftlich aus dem Bergwald aufsteigen, entstand als Hauptort der Herren von Rappoltstein im 13. Jahrhundert die Stadt in mehreren Abschnitten mit jeweils eigener Mauer.

Über die mittelalterlichen und barocken Häuser ragt der „Metzgerturm", das einstige Tor der Mittelstadt aus dem 13. Jahrhundert mit seiner Erhöhung von 1536 heraus. Sein Unterbau mit den Buckelquaderkanten zeigt den Zusammenhang der städtischen Wehrbauten mit den Burgen der Stauferzeit.

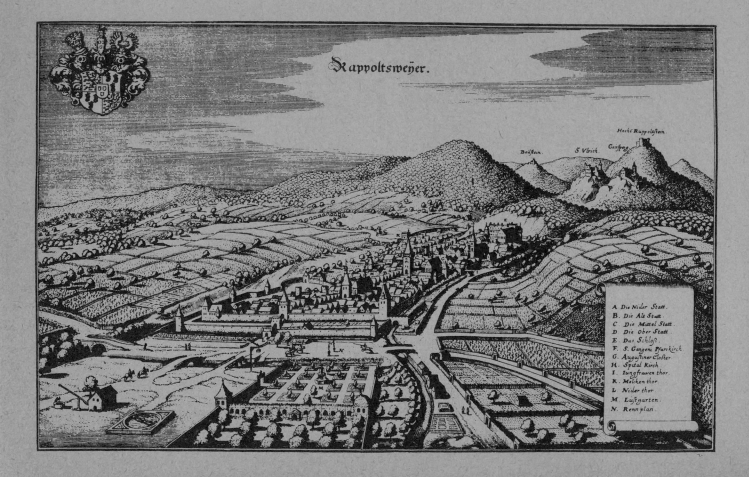

Das „Pfifferhüs"

Von den vielen Fachwerkhäusern ist das „Pfifferhüs" mit seinem prächtigen barok-ken Erker wohl das interessanteste. Die Schnitzerei mit der Verkündigung an Maria ist um 1680 entstanden.

Die „Pfiffer", d. h. die fahrenden Spielleute, die bei Kirchweih und Hochzeit Musik machten, waren eine Bruderschaft. Sie hatten die Grafen von Rappoltstein als Schutz-herren erwählt und hielten am ersten Sonntag im September jährlich einen „Pfiffer-tag" in Rappoltsweiler ab, bei dem sie eine Marienwallfahrt mit fröhlichem Schmau-sen und Zechen verbanden. Aus dem ganzen Oberrheingebiet kamen dazu die „Pfif-fer" hierher. Nach langer Pause, von der Französischen Revolution bis jetzt, ist neuerdings wieder „Pfiffertag" in Rappoltsweiler.

Ausgestreckt auf dem schmalen Felsrücken des Hornwaldes liegen die heute noch mächtigen Trümmer der Burg, die zuerst im 12. Jahrhundert als Sitz der Markgrafen von Baden-Hachberg erwähnt ist. Sie war die größte im badischen Oberland. Vor allem wurde sie im 16. und 17. Jahrhundert der damaligen Kriegstechnik entsprechend erneuert und erweitert. Doch halfen all die gewaltigen Bastionen nichts, sie wurden 1689 von den Franzosen einschließlich der Wohnbauten gesprengt.

Breisgauer Pfennige

In Malterdingen, nördlich von Emmendingen, wurde 1946 bei Grabarbeiten an einem Haus ein erstaunlicher Fund gemacht: man fand einen Tonkrug mit 5611 mittelalterlichen Münzen. Die meisten waren dünne Silberbrakteaten, d. h. einseitige Prägungen. Es waren aber auch Denare mit zweiseitiger Prägung aus dem Unterelsaß dabei. Da mehr als 4500 sogenannte „Lindwurmpfennige" mit einer Drachendarstellung gefunden worden sind, die wohl von den Markgrafen von Baden-Hachberg — den Herren von Malterdingen — in einer Münze in Emmendingen oder Endingen geprägt wurden, nimmt man an, daß sie die übliche Währung dieser Herrschaft waren.

Die ältesten der Münzen waren „Löwenpfennige", auf denen ein Löwe mit Menschenhaupt, eine mittelalterliche Sphinx, abgebildet ist. Sie stammen aus der Zeit Bertholds IV. von Zähringen (1152—86). Die jüngste Münze war ein Brakteat des Basler Bischofs Heinrich III. von Neuenburg (1262—1272), so daß man annehmen kann, der Münztopf sei Ende des 13. Jahrhunderts vergraben worden.

Bei einem anderen Münzfund in Königschaffhausen hat man besonders viel „Struwwelkopfpfennige" ausgegraben, die vermutlich zwischen 1200 — 1250 in Breisach geprägt wurden.

Im 14. Jahrhundert wurden die „Rappen" der Freiburger Münze mit dem rabenähnlichen Adlerkopf aus dem Wappen der Grafen von Freiburg die gängigste Münze im Breisgau, nach ihnen nannte man den Zusammenschluß der münzprägenden süddeutschen Städte den „Rappenmünzbund".

Unweit der Hochburg steht im stillen Waldtal ein kleines, frühgotisches Kapellchen als winziger Rest des Zisterzienserklosters Tennenbach. Es war einst vermutlich nur die Spitalkapelle der kranken Mönche, die nicht am Gottesdienst in der großen Abteikirche teilnehmen konnten. Als das Kloster 1807 aufgehoben wurde, stand noch die monumentale Kirche neben den barocken Klostertrakten des Neubaus unter Abt Leopold Münzer (1724—54). Um sie zu „retten" überführte man ihre Quadern nach Freiburg und errichtete daraus nach Entwurf von Heinrich Hübsch die Ludwigskirche, die 1839 eingeweiht wurde. Von Bomben wurde sie 1944 vernichtet.

1161 war das Kloster gegründet worden, das durch viele Schenkungen bald reich begütert war, wie wir aus dem erhaltenen Güterbuch von 1341 in der Landesbibliothek zu Karlsruhe wissen.

Durch die Äbte aus dem Zähringer Herzogsgeschlecht und die Verbindung mit dem Mutterkloster in Burgund hatten die geistigen und künstlerischen Unternehmungen der Mönche — trotz ihrer Feldarbeit im einsamen Tal — internationale Weite und hohen Rang. Der Bau der Klosterkirche, den wir aus Abbildungen vor dem Abbruch kennen, und mancherlei Kunstwerke aus dem Kloster, wie das prachtvolle Filigrankreuz des 13. Jahrhunderts (heute im Kloster Mehrerau bei Bregenz), gehören zu den großen Kunstwerken ihrer Zeit.

no tn in die festo .s. pasche s. pma die
azimoru .i. feria sexta ne tumultus fieret
in isto gl n timentes seditionem sn ne tux.
sed desius matnibus vollet tn conp hc fe-
tetur Audias al Judas eos conc gallos
abut ad eos et pepigit cu eis ih'm t'ba
dando p̄ xxx. Argenteis qtu gl valleba-
x numos vsuales gl gp p̄ dr messi-
one vngari voluit t'con pesca e ven-
dide ing'n et qm crebat opti virtr eum
alberdi eu sn ebis et no gp dns .uj. sti
vendit's fuit io neiunus vn alio p̄ot
anu h sti sedm lotu hc p̄ fiam p̄etam

sed xp'm

desuit et iuit qra p̄dita et invent̄a
t'posuit sup humos suos ep pta nost
ipa ptulit nt'or pa suo pa .ij. ambro
humari xp'm br'achia dns sur et vocavs
t'omu et incatu quotra amicos 2 vitinos suos
.i. angelos .d. cong'ulatm in non oui gp
gaudiu eius e v'ta nra tot gl deo vl't
gp v'ta est gaudiu medo sup vno ptore
is ag. xp̄ si xc̄x. iustis qui n indiget
pniam gp intelligit e de peniterib fuit
et iustis negligetib ut de gḡ. sic rex
mag diligit militem gp p̄ fugam t'e sua
fortis pugnat gp illu gp nunq fugit ne
ob; app̄iut sic mr p̄lus g'atus destm̄ie
omis filiu gp egreditur t'up p̄te gp destm̄ie
x alip conspexit :

Judas · quid vult in dare e ·

ovis centesima · dragma decima ·

Freiburger Rabenpfennig als „verlorener Groschen"

Aus Tennenbach kam nach der Säkularisation die Handschrift einer Historia evangelica — einer Sammlung von Geschichten aus dem Neuen Testament — in die Landesbibliothek nach Karlsruhe. Sie ist nicht in Tennenbach entstanden, sondern war ursprünglich in der Freiburger Kartaus und ist von dem Freiburger Leutpriester Rüdiger Schopf 1399 geschrieben worden. Zweifellos wurde sie auch in Freiburg mit Bildern versehen. Denn die volkstümlichen, leicht kolorierten Federzeichnungen zeigen Dinge, die nur in Freiburg wichtig waren. So steht neben der Gestalt Christi, der sein verlorenes Schaf wiedergefunden hat, als Gleichnis die Frau mit der Laterne, die den verlorenen Groschen findet, und dieser Groschen ist ein „Freiburger Pfennig" mit dem „Rabenkopf". Auf einem anderen Blatt sieht man, wie Judas von den Hohenpriestern die Silberlinge erhielt; es sind Freiburger Rabenpfennige und österreichische Münzen mit dem Bindenschild, die Herzog Albrecht von Habsburg in Todtnau prägen ließ.

Neben alten Siedlungen um die Peters- und Martinskirche gründete um 1290 Hesso IV. von Uesenberg eine Stadt von halb bürgerlich, halb bäuerlichem Charakter, den Endigen bis heute bewahrt hat.

Die lange Hauptstraße, an der viele sehenswerte alte Häuser stehen, wird im Westen vom Königsschaffhauser Tor abgeschlossen, das über altem Kern 1581 sein jetziges Aussehen erhielt.

Besonders stattliche Häuser stehen am ansteigenden Marktplatz: an der Ecke zur Hauptstraße das Alte Rathaus von 1527 mit einem Umbau des 18. Jahrhunderts, oberhalb beim Brunnen das Kornhaus von 1617.

Im Rathaus sind 15 historisch und künstlerisch bedeutende Wappenscheiben erhalten. Die Scheibe mit dem Flügel-Wappen der Herrschaft Uesenberg von 1528, das ein Landsknecht hält, ist ein typisches Werk der Renaissancezeit.

Die herrschaft Yselnberg 1538

Rokokohäuser in Endingen

Zwei besonders aufwendige und reizende Bürgerhäuser aus der Mitte des 18. Jahrhunderts sind in der Nähe des Marktes zu finden. An der Hauptstraße schräg gegenüber dem Rathaus steht das Haus der Familie Krebs-Henninger, das seit 1936 als „Neues Rathaus" verwendet wird. Ein Mittelrisalit umfaßt Portal und Balkontür und tritt mit eigenwilligem Mansardendächle aus dem großen Dach hervor. Ein außerordentlich schönes schmiedeeisernes Balkongitter schmückt vornehm die Fassade. Das Haus der Familie Biechele-Zimmermann am Marktplatz hat einen einfacheren gradlinigen Baukörper und ist nur seitlich mit Lisenen abgeschlossen. Aber es trägt über den Mittelfenstern sehr charaktervoll gemeißelte Köpfe als Zierat, die wohl ein Endinger Steinmetz nach dem Vorbild Wenzingers arbeitete. Aus einer Nische sieht eine barocke Hausmadonna freundlich auf die Menschen herab.

Der Limberg bei Sasbach

Dieser geologisch wie geschichtlich besonders interessante Vulkanhügel besteht aus mehreren horizontal übereinanderliegenden Lavaströmen, zwischen denen Tertiärsedimente und dünne Tuffschichten liegen und anzeigen, daß zwischen den vulkanischen Ablagerungen vor Jahrtausenden Wassertümpel und Flüsse die Landschaft mitgeformt haben.
Schneller als in den langen Zeiträumen erdgeschichtlicher Wandlung hat der Mensch an der Gestalt des Limbergs geformt. Von der Steinzeit bis zum Mittelalter haben hier Menschen gelebt und ihre Spuren hinterlassen. Der früher weitgehend vom Rhein umflossene Fels bot Schutz und lag nahe an einem vielbenutzten Rheinübergang (bei Sasbach). Später wurde er noch mit Wallanlagen verstärkt, von denen die älteste wohl in das 2. Jahrtausend v. Chr. zurückreicht, wie Funde der Michelsberger Kultur vermuten lassen.
In der Hallstatt-Zeit, im 6. und 5. Jahrhundert v. Chr., entstanden noch umfangreichere Befestigungen, die von den Kelten wiederum erweitert wurden zum Oppidum, dessen Anlagen wir von ähnlichen Fluchtburgen aus Caesars Bellum gallicum kennen.
Im 11. Jahrhundert n. Chr. haben dann die Herzöge von Zähringen an dem Rheinübergang die Limburg angelegt, in der Rudolf von Habsburg geboren sein soll und deren Reste heute noch stehen, seit ihrer Zerstörung im dreißigjährigen Krieg und der Sprengung 1940 beim letzten militärischen Rheinübergang.

Frühgeschichtliche Funde

Alle vor- und frühgeschichtlichen Siedler unserer Landschaft haben ihre Spuren hinterlassen, die wir immer wieder überraschend im Boden finden. Ob es die Steinkeile oder Pfeilspitzen der jagenden Menschen der Altsteinzeit oder die ersten Geräte der Ackerbauern sind, jedes Stück erzählt von Menschen, die hier lebten. Kunstvoller sind die Töpfe und Scherben der Gefäße der Michelsberger Kultur oder der Hallstatt-Zeit. Aber gegenüber ihren bäuerlichen Formen sieht man den römischen Gläsern oder Terrasigillata-Schalen gleich ihre Herkunft aus städtischer, verfeinerter Werkstatt an. Auch Schmuck, Bronzearbeiten und Statuetten aus der Römerzeit, die gefunden wurden, sind zum Teil außerordentlich gute Arbeiten und nicht nur in Militärlagern von Provinzhandwerkern hergestellt worden.

Besonders eindrucksvoll für uns sind heute die alemannischen Fibeln und Schnallen des 6. und 7. Jahrhunderts mit ihren abstrakten, linearen Ornamenten, die teils geritzt oder gegossen oder mit Silberauflagen der Form des Stückes angepaßt sind.

Aber nicht nur Werke aus Menschenhand kamen ans Licht, sondern auch Tiere der Vorzeit. Der Mammutzahn (heute in Privatbesitz) erinnert an das riesige Tier, das früher hier lebte.

An der Sponeck

Von dem alten Städtchen Burkheim, das die Uesenberger im 13. Jahrhundert gegründet hatten, kann man am besten zur Sponeck kommen. Der Weg führt unter den
Ruinen des Schwendi-Schlosses entlang, dessen hohe Mauern von Lazarus 1561—71
„nach dasiger neuer Modi besser aufgebauen" wurden. 1672 wurde das Schloß von
den Franzosen ausgebrannt.
Der Turm, der heute anstelle der Burg Sponeck steht, war Teil eines etwa fünfecki-
gen Bergfrieds, der wie ein Donjon bewohnbar war. Wir kennen seine Gestalt aus Abbildungen des 16. Jahrhunderts. Um ihn herum lag die Vorburg mit den Wirtschaftsgebäuden.
1930 hat der Maler Prof. Hans A. Bühler in dem ruinenhaften Turm sein Atelier eingerichtet, von dem aus er die weiten Ausblicke über Rhein und Berge malte.

Im Garten der Sponeck blühen Kreuzblumen, deren ausstrahlende Blütenform den gotischen Steinmetzen zum Vorbild für ihre steinernen Bekrönungen wurde.

Die Kreuzblume — ruta graveolens — Wildraute oder Gartenraute, stammt aus dem Mittelmeerraum. Sie wird in dem Pflanzenbuch „Tabernae Montanum" 1647 wegen ihrer vielfältigen Kräfte gelobt. Man nahm sie „gegen Gift, Dunkelheit der Augen, Hauptwehe von Kälte, Fallend Sucht, Blöd Gesicht ... gegen Motten In den Kleiderschränken und gegen alle möglichen Schädlinge". Die Kreuzritter sollen Kreuzblumen unter ihren Rüstungen bewahrt haben als Schutz- und Heilmittel bei den Kreuzzügen ins Heilige Land.

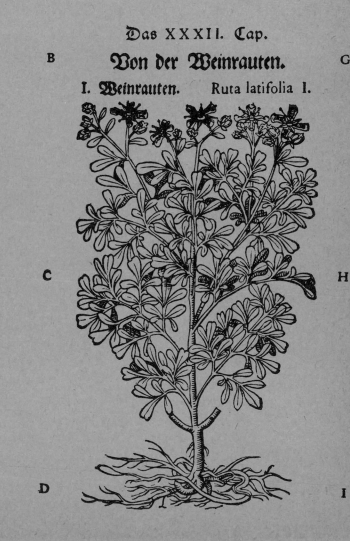

Das XXXII. Cap.

B   Von der Weinrauten.   G

I. Weinrauten.   Ruta latifolia I.

C   H

D   I

Breisach

Der steile Fels über dem Rhein, auf dem im Mittelalter und bis 1793 die herrliche Stadt Breisach lag, war von alters her besiedelt. Reste keltischer und römischer Anlagen wurden ausgegraben. Doch erst in der Zeit der Staufer und Zähringer, die hier um 1180 eine kunstvoll geplante Stadt gründeten, hat dieser Berg seine geschichtliche Bedeutung gewonnen.

Die großartige Stadt zwischen dem Münster und der Zähringer-Burg, die Merians Stich noch zeigt, wurde im 17. Jahrhundert hart umkämpft und von den Revolutionstruppen 1793 vernichtet; außer dem Münster blieben nur Reste von Mauern, Toren und Hausportalen übrig.

Nachdem Ludwig XIV., der ebenfalls um die Stadt kämpfen mußte, sie erobert hatte, ließ er im Zuge der neuen Befestigung an der früheren Rheinbrücke das untere Rheintor als Triumphpforte in klassizistischen Formen erbauen.

Die Befestigungen, die sein Festungsbaumeister Vauban in Alt-Breisach anlegte, waren ähnlich, wie die der neuen Festungsstadt Neu-Breisach, die auf dem anderen Rheinufer entstand. Dort sind die Wälle, Gräben, Bastionen und Kasematten um die Militärstadt sehr gut erhalten und geben heute noch eine gute Vorstellung davon, wie es nach 1680 um Breisach, Freiburg und Mülhausen ausgesehen hat.

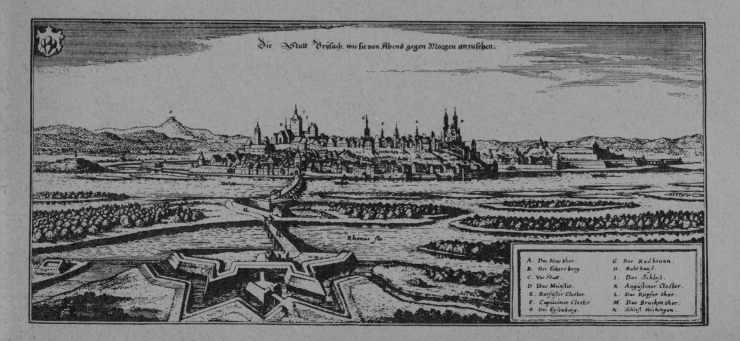

Die Statt Brysach, wie sie von Abend gegen Morgen anzusehen.

Rhenus flu.

A. Das New thor.	G. Der Rad brunn.
B. Der Eckers berg	H. Raht hauß.
C. Vor Statt.	I. Das Schloß.
D. Das Münster.	K. Augustiner Closter
E. Barfüßer Closter	L. Das Kupfer thor.
F. Capuciner Closter	M. Das Brucken thor.
O. Der Eysenberg.	N. Schloß Höchingen.

Das Münster zu Breisach

Der kraftvolle, einfache, romanische Bau des Stephansmünsters umschließt in seinem hellen, gotischen Chor und im Innern der Turmhalle Kunstwerke von genialen Meistern.
Die im 15. Jahrhundert erbaute Westhalle der Kirche hat Martin Schongauer, der zu europäischer Geltung gelangte Maler und Kupferstecher aus Colmar, mit den riesigen Wandbildern des Jüngsten Gerichts ausgemalt. Dieser Meister der feinen, kleinen Tafelbilder und vieler zierlicher Gestalten in Kupferstichen, hat hier am Ende seines Lebens in großem Format und großen Formen die Gestalten der Verdammten und der Seligen um den Weltenrichter und die Fürbitter erscheinen lassen. Er war aus Colmar nach Breisach übergesiedelt, um das Werk zu schaffen, und ist 1491 in Breisach gestorben.

Der Hochaltar breitet sich wie ein riesiger Holzschnitt im lichten Chor des Münsters aus, wenn man ihm durch den zierlichen, spätgotischen Lettner entgegen geht. Er ist ein Gipfel gotischer Schnitzkunst mit seinen phantasievoll wirbelnden Formen und dennoch kräftigen, lebendigen Gestalten der Marienkrönung und der verehrten Schutzheiligen von Kirche und Stadt Breisach.
Wie Maria demütig und erwartungsvoll aufblickt, um die Himmelskrone mit den musizierenden Engeln aus den alten, gichtknotigen Händen Gottvaters und den gespannten, kräftigen Fingern Christi zu empfangen — das ist einzigartig dargestellt. Das weiche, atmende Antlitz der Gottesmutter ist umspielt von dem Geringel der Locken, die im himmlischen Wind auffliegen. Die Muttergottes der gleichen Darstellung im Niederrotweiler Altar wirkt dagegen zierlicher und preziöser. Die Schnitzerei ist starrer und spannungsloser. Doch ist auch dieses Schnitzwerk außerordentlich fein und originell.

Er steht im gotisch eingewölbten und ausgemalten Chor der sehr alten Michaels-
kirche von Niederrotweil am Kaiserstuhl. Sein Schrein hat die am Oberrhein typische
Form mit erhöhtem Mittelteil und einem Rankenschleier. Neben der Marienkrönung
in der Mitte stehen gedrängt in den Ecken der Kirchenpatron Michael, der Drachen-
töter und Johannes, der Täufer.
Auf den Flügeln sind je zwei Szenen aus den Legenden dieser Heiligen kreuzweise
angeordnet. In der Predella erscheint Christus zwischen den Aposteln, und oben auf
dem Altar stehen — heute ohne die früher vorhandenen Baldachine — kleine Heili-
gengestalten.
Dies alles ist teils farbig gefaßt, teils in Holzton. Die ungewöhnlich schwungvolle,
virtuose Schnitzerei und die Verwandtschaft mit dem Breisacher Altar lassen vermuten, daß auch dieser Altar ein Werk des Meisters H. L. aus Breisach ist, dessen
Monogramm wir kennen, ohne bisher seinen bürgerlichen Namen zu wissen. Vermutlich hat der Meister das Werk in Niederrotweil nicht ganz selbst fertigstellen können, worauf manche Derbheiten und Unstimmigkeiten hinweisen. Sicher ist der Entwurf und die Schnitzerei der Flügel von seiner zügigen Hand.

Der Sündenfall

Verlangend streckt Adam eine Hand aus, um sich den Apfel vom Paradiesesbaum zu pflücken. Eva betrachtet den ihren schon mit etwas bedenklichem Blick. Um sie herum liegen und stehen die Tiere friedlich zusammen: Löwe und Hirsch, Schaf und Reh. Ein Papagei, das Tier der Eitelkeit für den mittelalterlichen Menschen, hockt im Gezweig des Baumes, um dessen borkige Rinde sich der glatte Schlangenleib windet. Mit genauem Naturstudium und großer Kunst ist die 34,8 cm hohe Gruppe aus hartem Buchsbaumholz herausgeschnitzt worden. Die kräftigen glatten Körper haben muskulöse und anatomisch genau gebildete Glieder, wie wir sie aus der Graphik Dürers und Cranachs kennen, die der Meister als Vorbilder benutzte. Sie verkörpern Menschen der Renaissance in ihrer natürlichen Nacktheit.

Die Gruppe stand einst in einem kleinen Gehäuse und wurde vielleicht für einen Humanisten geschaffen, der Gefallen an den schönen Körpern fand und doch ihrer Gefährlichkeit eingedenk war. Heute steht es im Augustinermuseum in Freiburg. Es wird angenommen, daß das köstliche Bildwerk von der Hand des Meisters H. L. geschnitzt worden ist, der den Breisacher und Niederrotweiler Altar schuf.

Der Kaiserstuhl

Noch heute gibt es — trotz Rebumlegung und modernem Straßenbau — im Kaiserstuhl die tiefeingeschnittenen Hohlwege zwischen den bröckeligen Lößwänden. Gebüsche und Waldreben hängen herab, in denen seltene Vögel wie Bienenfresser, Pirol, Weinhähnchen und Nachtigall flattern und singen. Zuweilen läuft auch ein Wiedehopf daraus hervor.

Der Kaiserstuhl ist ein zauberhaftes Stück Erde, auf dem von den Eiszeiten her Pflanzen und Tiere des Nordens heimisch geblieben sind, denen sich unzählige Gewächse und Geschöpfe des Mittelmeerraumes zugesellt haben.

Unter denen, die seit langem heimisch wurden, sind die Orchideen vielleicht am bezauberndsten. Ihre bizarren Formen und aparten Farbnuancen ziehen viele Liebhaber an. Die verschiedenen Ragwurzarten werden nach ihrer Blütenform Fliegen-, Bienen- oder Hummel-Ragwurz genannt.

Die hohen, kahlen Buckel des Badberges und der Mondhalde, über die der Kammweg läuft, sind die Mitte dieser erstaunlichen Landschaft. Dort wachsen an den Waldrändern die Küchenschellen und andere seltene Gewächse, deren Anblick einem das Herz höher schlagen läßt vor Freude, daß sie noch dastehen. Auch sieht man vielleicht dort eine Gottesanbeterin oder eine Smaragdeidechse.

Der „Hosenlips" von Bahlingen

Dem derben, schnauzbärtigen Kerl, der nackend, nur mit Weinlaubschurz bekleidet und mit einer Weinkrone auf dem Kopf im Keller der Bahlinger Winzergenossenschaft aufbewahrt wird, sieht man kaum an, daß er wahrscheinlich ein Abkömmling des Weingottes Dionysos oder Bacchus ist.

Die geschnitzte, bäuerlich bemalte Gestalt hat vermutlich seit etwa 1720 zwischen den Querriegeln eines Weinfasses gehockt. Der Hosenlips wurde dann — wie sein Ahnherr Dionysos — hochverehrt. Denn von seinem Dasein im Gemeindekeller hängt ein guter „Herbst" ab. Als er einmal an einen Mannheimer Weinhändler verkauft worden war, hatten die Bahlinger nur noch schlechte Weinernten und mußten ihn zurückkaufen, um wieder zu Wein und Verdienst zu kommen.

Schloß Munzingen

Im Dorf Munzingen am Tuniberg hat 1672 der kaiserliche Geheime Rat Johann Friedrich von Kageneck für sich und seine Gemahlin Susanna Magdalena, geborene von und zu Andlau, ein stattliches Schloß als Sommersitz erbauen lassen. Die Ehegatten stammten aus elsässischen Geschlechtern, die jedoch viele rechtsrheinische Besitzungen hatten. Darunter waren auch zwei vornehme, palaisartige Häuser in Freiburg, in denen die Familie im Winter bis zu deren Zerstörung 1944 wohnte. In dem einen hat die Kaisertochter Marie Antoinette 1770 bei ihrem Aufenthalt in Freiburg gewohnt, während im Munzinger Schloß ihr Schwiegervater König Ludwig XV. 1744 zu Gast war. In Munzingen lebte auch Maria Beatrix, Gräfin zu Metternich, geb. Freiin zu Kageneck, die Mutter des berühmten österreichischen Staatskanzlers. Ihr bezauberndes Porträt hängt neben vielen wertvollen Familienbildnissen in den elegant eingerichteten Räumen des Schlosses. Der hochbarocke Bau erhielt von dem Enkel des Gründers, Graf Friedrich Fridolin von Kageneck Mitte des 18. Jahrhunderts eine Modernisierung mit neuer, zierlicher Stuckdekoration, Deckenbildern von Simon Göser und graziösen Rokokomöbeln. Auch heute leben die Grafen von Kageneck darin.

Im Hof stehen noch jetzt lustige, dicke Zwerge in Harlekinkostümen. Diese Vorfahren unserer Gartenzwerge soll Louis XV. bei seinem Besuch geschenkt haben.

Zum Schloß gehört auch „die Oekonomie" unten im Dorf mit dem wappengeschmückten Portal. Von diesem Wirtschaftshof aus wurde stets die herrschaftliche Tafel versorgt.

Zu den besonderen Gaumenfreuden, die uns in Munzingen, wie in allen Tunibergorten, geboten werden, gehört das „Spargelessen". Man sagt, daß Louis XV. bei seinem Besuch Spargeln mitgebracht habe. Es ist ein eigenes Ritual, wenn die Spargelplatte mit Schinken, „Majonäs" und „Kratzete" aufgetischt wird.

FRANCISC ABB HUIVS
...
CARLI... CURAVIT
...CCLXXIII

CAROLVS ABBT
ZVE SCHVTTEREN

Merdingen

Das große Dorf am Tuniberg steht im Bereich römischer und alemannischer Besiedelung. Sein wechselvolles Schicksal unter vielen streitbaren Ortsherren im Mittelalter und in den Kriegen des 17. Jahrhunderts hat nur wenige alte Bauten, aber doch einige schöne Fachwerkhäuser wie das Haus Saladin von 1666 verschont.

1716 erhielt die Freiburger Deutschordenskommende 2 Drittel der Ortsherrschaft, während 1 Drittel an die Herren von Kageneck kam. Die Deutschherren, deren schönes Wappen am jetzigen Pfarrhaus zu sehen ist, ließen die Kirche durch ihren Ordensbaumeister Johann Caspar Bagnato 1738—1741 neu errichten.

In dem kürzlich restaurierten weiten Raum sind Deckenbilder des Konstanzer Malers Franz Josef Spiegler umrahmt von feinem Stuckdekor. Spiegler schuf auch die Gemälde der Seitenaltäre, deren roter Stuckmarmorrahmen gegen die blaugrüne Marmorierung des Hochaltars einen guten Kontrast bildet. Dieser Hochaltar ist ein besonderes Kleinod. Um das Gemälde Spieglers schuf Joseph Anton Feuchtmayr den kraftvollen architektonischen Rahmen und die Figuren des heiligen Kaiserpaares Heinrich und Kunigunde.

Der fromme Kaiser aus dem Geschlecht der Ottonen (973—1024) trägt als Stifter des Bistums Bamberg ein Kirchenmodell in der Hand. Auch der Bischofskirche zu Basel hat er viele Schenkungen gegeben, vor allem Güter in vielen Orten des Breisgaus. Durch seine Förderung entstand der 1019 geweihte Neubau des Basler Münsters. So wurde er besonders zum Schutzheiligen Basels und im Breisgau wie in Franken sehr verehrt. Auch unter den Heiligen am Freiburger Münster ist er zu finden.

Bei Waltershofen liegt abseits vom Ort ein Gehöft, das sich durch Wappensteine am Haus und an der Hofmauer auszeichnet. Beide tragen das Wappen der alten Fürstabtei Schuttern in der Ortenau. Eines ist mit dem Namen des Abtes Carolus und dem Datum 1775 versehen. Dieser Hof war also Besitz der großen Abtei und zwar seit 1136. Er gehörte zu dem Weiler Wippertskirch, dessen einziger Rest er nun ist und dessen Namen er bewahrt.

Als höchster der Vorberge des Schwarzwaldes bei Freiburg ragt der Schönberg über 400 Meter aus der Rheinebene empor und streckt sich weit vor ins flache Land. Von seinem Gipfel aus blickt man zu den Schwarzwaldhöhen, zur Ebene, dem Kaiserstuhl und den Vogesen. Zwischen Obstbäumen, Wald, Wiesen und Feldern liegen die vielen Dörfer und Städtchen dieser gesegneten, fruchtbaren Landschaft.

Berghausen ist seit 968 zuerst als Dorf erwähnt, aber schon 1427 stand auf dem Berg nur noch das Gotteshaus; die Bauern waren in die Täler nach Talhausen und Ebringen herabgezogen. Das Kirchlein wurde in der Barockzeit erneuert, nachdem immer wieder bei den Kämpfen um Freiburg im 17. und 18. Jahrhundert der Schönberg hart umstritten war. Noch sieht man dort oben die alten Schanzen. Nun liegt die Kapelle friedlich zwischen den Obstbäumen und ist — vor allem in der Kirschblüte — ein Lieblingsziel der Freiburger.

Purpur-Knabenkraut (Orchis purpurea)

Noch immer ist der Schönberg und sind die Hänge der Schwarzwaldvorberge reich an herrlichen Orchideen, wenn sie auch nicht mehr so zahlreich zu finden sind wie früher.

Mit purpurbraunen Helmblättern, weißrosa Lippen und purpurroten Papillen auf ziemlich hochwachsenden Stengeln leuchtet das Knabenkraut über den Gräsern und Kräutern der Waldwiesen und lichten Waldränder. Es liebt Kalkboden. Die breiten, glänzenden Blätter der Staude und der feine seidige, zuweilen fast kristallische Schimmer der Blütenblätter geben der Pflanze etwas Prächtiges und erinnern an die exotischen Verwandten aus fernen Dschungelwäldern.

Viele Orchideenarten bezaubern am Oberrhein die Kundigen, die ihre seltenen Standorte kennen, und viele Liebhaber sorgen sich um den Schutz und die Erhaltung der kostbaren Gewächse. Aber leider versuchen auch viele Besitzgierige sich die Blüten anzueignen oder reißen sie mit den Wurzeln heraus, um sie im eigenen Garten zu domestizieren, wodurch sie meist vernichtet werden.

Von Freiburg fährt man auf dem Weg zum Schwarzwald an einem ummauerten Park mit dem reizenden Rokokoschloß vorbei. Es wurde 1749/51 von dem Basler Architekten Johann Jakob Fechter unter Mithilfe von Johann Christian Wenzinger für den Reichsfreiherrn Ferdinand Sebastian von Sickingen erbaut. Vorher hatte dort ein Wasserschloß mit dicken Rundtürmen gestanden, die im Neubau innen als Treppentürme für die Diener Verwendung fanden, während für die Herrschaften ein prächtiges, vornehmes Stiegenhaus angebaut wurde. Ein heiterer Gartensaal mit Fresken von Gambs und feinem Stuck führt über eine geschwungene Treppe in den Park, der herrliche, alte Bäume und Gartenfiguren von Wenzinger hat. Das Schloß ist in Privatbesitz.

Das Deckenbild im Schloß zu Ebnet

Zwischen zartgetönten Wolken hat Benedikt Gambs göttliche und allegorische Gestalten der antiken Mythologie gemalt, um Fülle, Reichtum und Lebensfreude zu
zeigen, die den Menschen in dem heiteren Gartensaal dargebracht werden. Die
Göttin der Morgenröte, die „rosenfingrige Eos" hält Blüten in der Hand, um sie her-
abzustreuen. Ihr Antlitz trägt unter modischer Puderperücke die Züge der ersten
Gemahlin des Schloßherrn, die wir aus einem Doppelbildnis des Ehepaares von
Wenzingers Hand kennen.
Der Maler B. Gambs stammte aus dem Allgäu und arbeitete seit etwa 1738 im Breisgau; in Riegel, Freiburg, Hilzingen, St. Peter und St. Ulrich schuf er Decken- und
Altarbilder. 1751 heiratete er ein Zimmermädchen der Freifrau von Sickingen und
starb noch im gleichen Jahr.

Freiburg im Breisgau
Ölgemälde von Eduard Alexander Hilverdink 1873, im Augustinermuseum Freiburg

Von der Lorettokapelle aus haben Maler und Stecher gern die Stadt geschildert. Sie erscheint vor der Silhouette der Schwarzwaldberge mit dem Münster als aufragendem Mittelpunkt. Um sie herum ist noch die Weite und Helle der Ebene. Man sieht die enggebaute Altstadt hinter den Bäumen am Dreisamufer, über das die ersten Häuser nach Süden und Westen ausgreifen in die ländliche Umgebung von Feldern und Wiesen. Die „Ausflügler" sitzen noch im Gras am Berghang mit dem Rebgarten, der heute dicht bebaut ist wie das ganze Gelände ringsum.
Das Lorettokapellchen wurde 1657 erbaut als Dank für die Errettung der Stadt in den entsetzlichen Kämpfen 1644 zwischen den Franzosen unter Marschall Turenne und den Kaiserlichen unter General Mercy. Von dem Hügel aus war Freiburg schwer bedroht worden.

Am Freiburger Münster

Der Münsterplatz um das herrliche gotische Gotteshaus ist noch die Mitte der Stadt. Er zieht die Einheimischen und Fremden immer wieder zu sich durch seine Schönheit und seinen bunten Marktbetrieb. Aus dem stillen Friedhof um die einstige Pfarrkirche, die erst seit 1827 Erzbischofskirche ist, wurde in der Neuzeit ein lebhafter, farbenreicher Markt. Aber auch im Mittelalter war um das spätgotische Kaufhaus mit den wappengeschmückten Erkern und Habsburgerfiguren reger Verkehr. Hier wurden Waren gewogen, gestapelt und verzollt. Mit besonderer Begünstigung der „mercatores" — der Kaufleute — haben die Herzöge von Zähringen um 1120 die Stadt gegründet. Aus Landbesitz, Handel, Bergbau, Silberverarbeitung gewann sie Reichtum, so daß die Bürger ihre Pfarrkirche so anspruchsvoll erbauen konnten wie eine Kathedrale mit kostbaren Glasfenstern und dem einzigartigen, wunderbaren Turm.

FREIBURG in Brisgou

Das Münster war — anstelle eines älteren — um 1200 mit einem romanischen Chor und Querhaus erbaut worden. Langhaus und Turm führte man nach verändertem Plan bis etwa 1350 in gotischen Bauformen aus. Um 1354 wurde der Grundstein zu einem neuen Chor gelegt, dessen feingespanntes Netzgewölbe jedoch erst 1510 vollendet werden konnte. 1510 bis 1512 wurden die Hochchorfenster mit den leuchtenden Farbverglasungen geschlossen, die z. T. von Kaiser Maximilian gestiftet worden sind. Danach erhielten die Kapellen am Chorumgang ihre Farbfenster.

Unter dem Baldachin des Gewölbes und in der Helle des Chorraumes glänzen die Gemälde des Hochaltars von Hans Baldung Grien in bunter Pracht. Der junge Meister, ein Schüler Albrecht Dürers, hat sie zwischen 1512 und 1516 gemalt mit Bildern aus dem Leben Unserer lieben Frau, der Patronin des Münsters.

Noch ein weiterer großer Altar im Münster ist der Gottesmutter geweiht; er zeigt sie als Schutzmantelmaria, in deren Obhut die weltlichen und geistlichen Stände knien. Dieser Altar wurde von der Patrizierfamilie Locherer gestiftet und 1522 bis 1524 von Meister Sixt von Staufen, einem Schüler Riemenschneiders, für ihre Kapelle geschnitzt.

Für einen dritten Schnitzaltar aus der Stiftung des Ritters und Bürgermeisters Johannes Schnewlin († 1342), zu dem Hans Wydyz um 1514 eine Heilige Familie auf der Flucht schnitzte, malte Hans Baldung mit Gehilfen den Hintergrund mit Rosenhecke und Landschaft und die Flügelbilder.

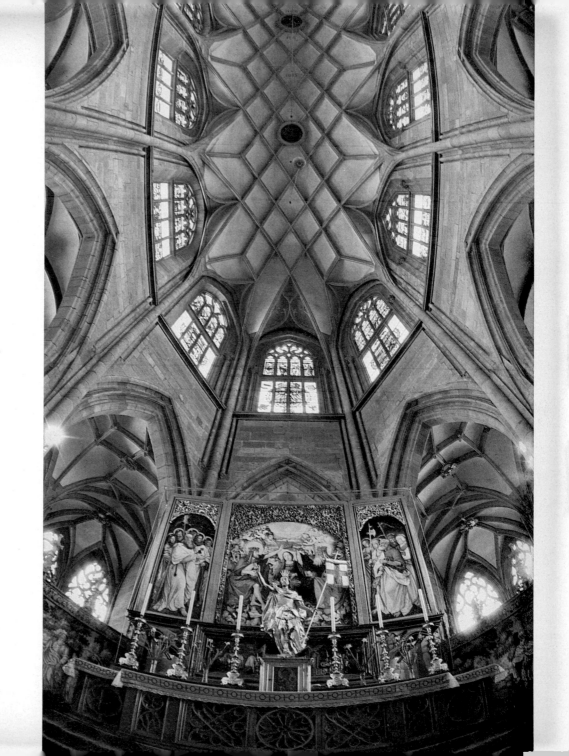

DER · COR CADEN · EIN GVT · JAI

Kunst des Humanismus in Freiburg

Als der Münsterchor vollendet war und von den großen Meistern oberrheinischer Kunst ausgestattet und geschmückt wurde, war Freiburg ein geistiges Zentrum der Lande ringsum. Die 1457 gegründete Universität hatte bedeutende Persönlichkeiten der Oberrheinlande und Schwabens angezogen und festgehalten, humanistische Gesinnung und moderne Kunst gewannen Raum.

Hans Baldung, dessen Verwandte hier in Freiburg an der Universität lehrten, der von Dürer in Nürnberg neue Vorstellungen von Kunst mitbrachte, hat in seinen Freiburger Werken die ganze Spannweite der neuzeitlichen Bildvorstellungen gezeigt. Im Hochaltar und den Flügeln des Schnewlinaltars gibt er die Vögel, Blumen und Landschaften genau nach Studien in der Natur wieder und versetzt die Heiligen in diese blühende, irdische „natürliche" Welt. Er zeigt aber nicht nur ihr Blühen und ihre Schönheit, sondern die Bedrohung durch Tod und Unheil. So schildert er auch Dämonie und Unnatur in den Bildern und Zeichnungen von Hexen. Mit feinstem Stift umreißt er die verführerischen Körper der schönen Unholdinnen, ebenso den gealterten häßlichen Körper, und läßt ihn durch Weißhöhungen schimmern. Selbst wenn diese Zeichnung nicht eigenhändig ist, kopiert sie doch ein Werk von seiner Hand. Die Inschrift: DER · COR · CAPEN · EIN · GUT · JAHR · wird als Neujahrsgruß für einen Geistlichen gedeutet. Ob er ironisch gemeint ist oder als Warnung vor den geheimnisvollen zwölf Nächten zwischen Weihnachten und Dreikönig?

1494 erschien zu Basel in der Druckerei von Johannes Bergmann von Olpe ein Buch, das bald das berühmteste in ganz Europa war und unzählige Auflagen und Übersetzungen erlebte: das „Narrenschiff" des Sebastian Brant (1458–1521). Der geborene Straßburger hatte in Basel studiert und wurde dort Lehrer, zog 1499 wieder nach Straßburg als Jurist und war dann dort Stadtschreiber und Rat Kaiser Maximilians I. In seinem Buch übt Brant, der Freund der Humanisten Geiler von Kaysersberg und Jakob Wimpheling im Elsaß, des Jakob Locher in Freiburg, Kritik an den Torheiten und Irrungen, in die sich der Mensch verstrickt. Seine Beispiele sind so volkstümlich wie seine Verse und wurden durch Holzschnitte veranschaulicht, die man lange für Werke des jungen Dürer hielt, der in Basel auf seiner Wanderschaft gearbeitet hatte.

Auch jetzt noch haben die Mahnungen Brants Gültigkeit. Zeitlos und allgemeinmenschlich sind Torheiten wie etwa das schlechte Beispiel der Eltern, Spielwut und Zorn oder die Narreteien der Eitlen.

Erasmus im „Haus zum Walfisch" in Freiburg

An der Franziskanergasse baute sich der durch Floßhandel und Geldgeschäfte reich gewordene Jakob Villinger aus Schlettstadt 1516 ein Haus, anstelle mehrerer alter Hofstätten. Er war seit 1511 Freiburger Bürger, seit 1510 als Schatzmeister des Kaisers geadelt. So ließ er sein „Haus zum Walfisch" prächtig und zierlich mit reicher, spätgotischer Portalrahmung und darüberliegendem Erker errichten.

Nach seinem Tod 1528 vermieteten es die Erben an Erasmus von Rotterdam, der darin von 1529 bis 1531 lebte. Der große europäische Gelehrte war vor den Reformationswirren aus Basel nach Freiburg geflohen, um hier in Ruhe zu arbeiten, doch ärgerte ihn im Haus zum Walfisch das ständige Gebimmel der gegenüberliegenden Franziskanerkirche, auch die vielen Flöhe und noch manches andere.

Doch hat er trotzdem in Freiburg seinem Famulus und Schreiber Gilbert Cognatus bedeutende Schriften und Briefe an Gelehrte in aller Welt diktiert. Ein Holzschnitt in einem Buch der Universitätsbibliothek zu Basel von 1533 zeigt ihn am Schreibtisch in der Erkerstube im „Walfisch", dessen schöne Außenseite im Bau der Städtischen Sparkasse zum Teil erhalten ist. Sic transit gloria mundi — aus einer weltweit berühmten Gelehrtenstube wurde ein städtisches Büro.

„Freiburger Allegretto"

In Freiburg hat nicht nur die bildende Kunst und Literatur Förderung gefunden, son-
dern zu allen Zeiten auch die Musik. Im 16. Jahrhundert hatten die Meistersinger der
Zünfte im Kornhaus ihre Aufführungen. 1793 wurde dort Mozarts „Zauberflöte" auf-
geführt — sieben Jahre nach ihrer Uraufführung in Wien. 1794 spielte man die „Ent-
führung aus dem Serail". Später gastierte dort der Knabe Lortzing mit seinen Eltern.
Es gibt aber auch Musik, die Freiburg ihre Entstehung verdankt, wie das „Freiburger
Allegretto", das Felix Mendelssohn-Bartholdy am 22. April 1837 in dem Breisgau-
Städtchen komponierte. Er verlebte glückliche Frühlingstage mit seiner jungen Frau
Cécilie auf der Hochzeitsreise im Hotel „Zähringer Hof", dem eleganten Gasthof, in
dem später auch Victor Hugo wohnte. Er stand anstelle des Hauses Werner-Blust,
des heutigen Kaufhofs. Von Ausflügen in das Land am Oberrhein bis nach Lörrach
und in die Schwarzwaldberge berichtet das Tagebuch der beiden Mendelssohns mit
reizenden Zeichnungen, das heute in der Bodleian Library, Oxford, aufbewahrt wird.

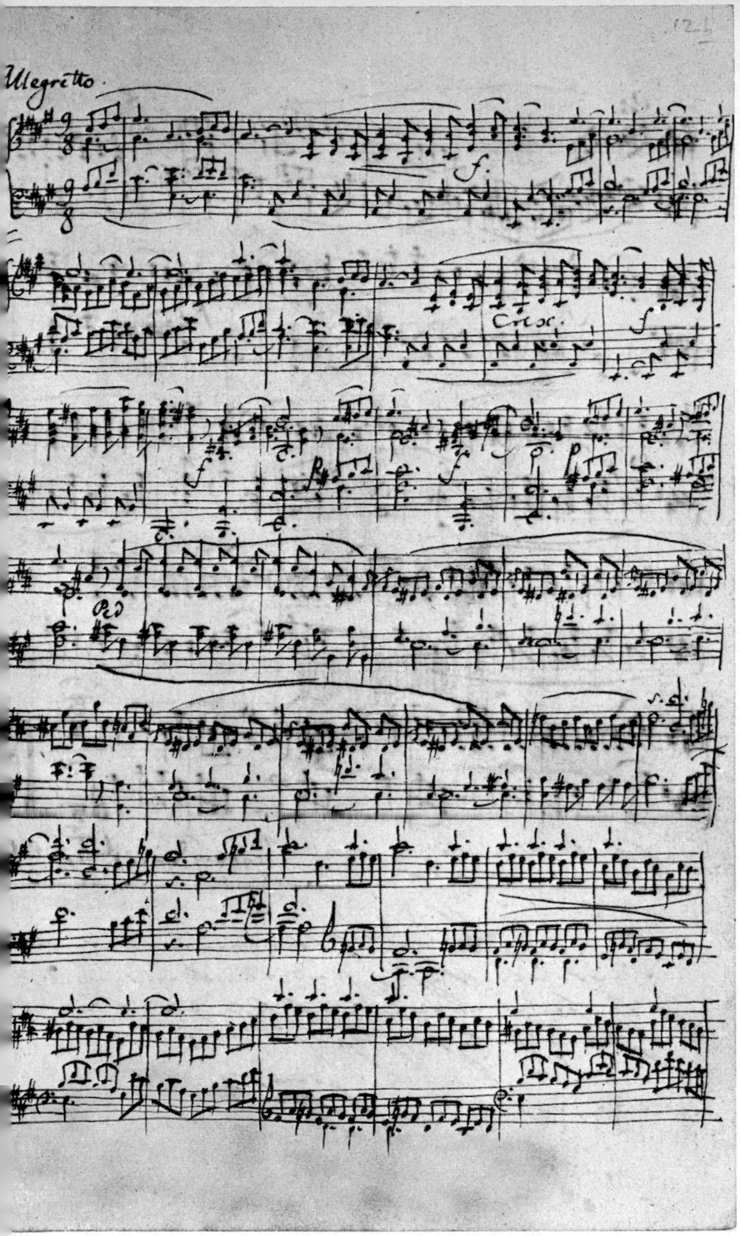
Allegretto
Cresc.
f
Ped
p

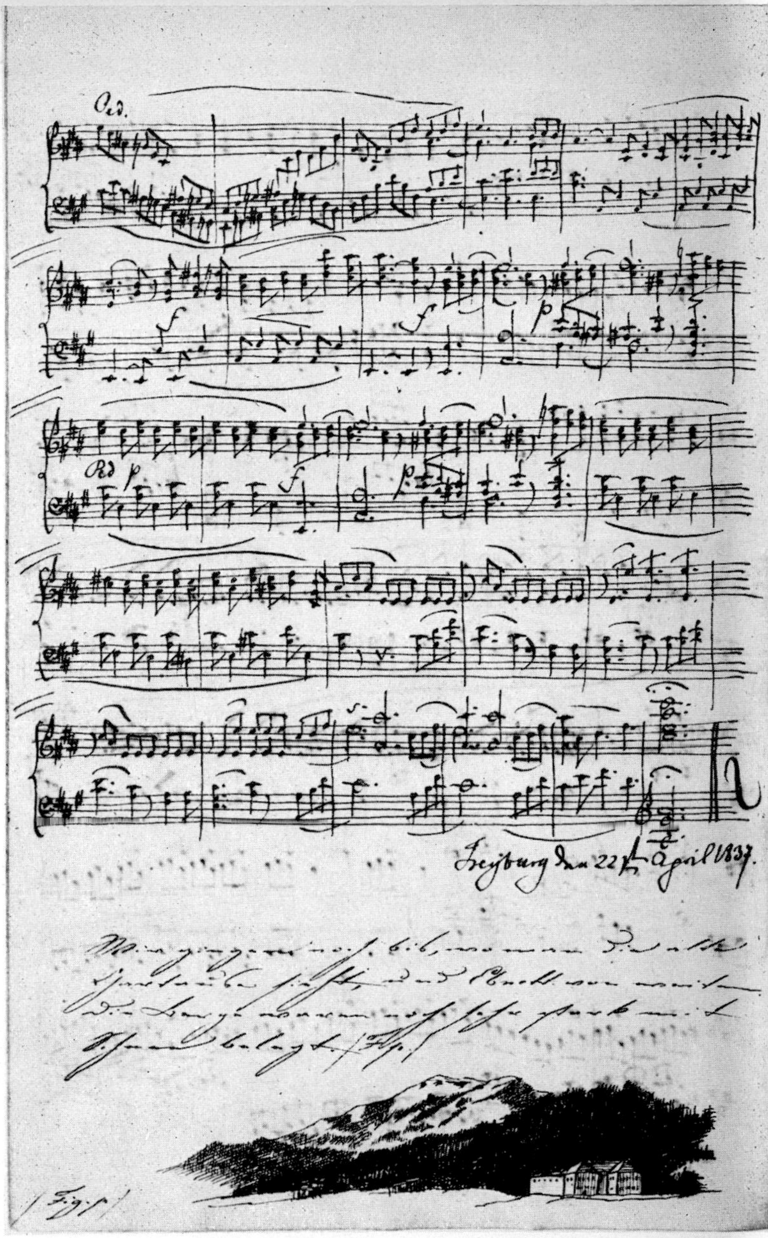
Ped
f
p
Freyburg den 22t April 1837.

Im Wenzinger-Haus

In Freiburg wird auch heute noch viel musiziert und komponiert, besonders in der Musikhochschule. Dieser Musikhochschule wurde 1945 das Wenzingerhaus zur Verfügung gestellt. Der Bildhauer, Maler und Architekt hat sich sein Wohnhaus 1761 als behagliches Barockpalais erbaut und mit witzigen Skulpturen, Gemälden und zierlichen schmiedeeisernen Gittern künstlerisch ausgestattet. Hier lebte er als frommer Grandseigneur bis er 87jährig starb. Sein großes Vermögen hinterließ er dem Spital, aus dem die heutigen Kliniken entstanden.

Textabbildungen

Register

In gleicher Ausstattung wie dieses Buch erschien:

Oberrheinisches Mosaik · Der nördliche Teil

gesehen von Leif Geiges, beschrieben von Ingeborg Krummer-Schroth

Format 21 x 20 cm, 364 Seiten mit 245 Abbildungen, davon 34 Farbbilder. Leineneinband mit farbigem Schutzumschlag und beigefügter Übersichtskarte.

Die Meinung über dieses Buch in der Presse:

Als das erste Buch unter dem Titel „Oberrheinisches Mosaik", das den Süden unserer badischen Heimat beschrieb, erschien, konnte es von Kennern dieser Region höchstes Lob einheimsen. Der Verlag Schillinger hatte damals ein buntes Bild dieser Landschaft zwischen Freiburg und Basel gezeichnet. Nun liegt seit kurzem das zweite Buch unter diesem Titel vor, das die Landschaft zwischen Freiburg, Karlsruhe und den Vogesen zum Thema hat.

Leif Geiges, längst ein Markenbegriff für Fotografie höchster Vollkommenheit, und Dr. Ingeborg Krummer-Schroth, lange Jahre stellvertretende Leiterin der Freiburger Museen, bürgen im wahrsten Sinne für fachliche, aber auch für inhaltliche Qualität. Das neue Schillinger-Buch besteht nicht aus einer schnell zusammengestellten Aneinanderreihung von mehr oder weniger schönen Bildern und einem kurzen Begleittext, sondern es erlaubt sowohl dem Bewohner dieser Landschaft als auch dem Laien einen tiefen Einblick in die Geschichte, Natur und Kultur. Man hat bewußt auf lange Abhandlungen verzichtet, weiß aber trotzdem das Wissenswerte elegant an den Leser heranzubringen.

Die Einheimischen werden dieses Buch nicht ohne Stolz lesen und ihren Bekannten außerhalb Badens empfehlen. Nicht-Badener aber werden ohne Zweifel durch diese Fülle von Bildmaterial dazu verführt, einmal einen Urlaub in diesem schönen „Ländle" zu verbringen. Besonders gut herausgearbeitet wurde die Tatsache, daß der Rhein keine Grenze ist, sondern daß zwischen Schwarzwald und Vogesen ein geschichtlich gewachsener Raum liegt, dessen Menschen trotz aller politischen Wirren nie an die Erb-Feindschaft oder anderen hitzköpfigen Blödsinn gedacht haben. So ist der zweite Band des „Oberrheinischen Mosaik" wohl auch ein grundsätzliches Ja zum Zusammenleben über unnatürliche politische Grenzen hinweg.

Freiburger Wochenbericht

Das Buch stellt eine – verglichen mit dem ersten Band – nicht minder liebevoll zusammengestellte Fortsetzung dar. Wer solch bibliophil verpackte Mischung von historisch-anekdotischer Unterweisung mit einer romantisch bis detailfreudig wirkenden Bilderfülle (245 Abbildungen und Grafiken) mag, wird genüßlich blättern und fernab forscher Touristenhektik eine 364 Seiten währende, entdeckungsträchtige Reise erleben.

Badische Zeitung

Der Verlag und die Autoren haben zu erkennen gegeben, daß bei weitem nicht alles Sehenswerte und Typische des oberrheinischen Gebiets erfaßt werden konnte. Solche Bescheidenheit, wenngleich auch sachlich begründet, ist zwar rühmenswert, aber nicht unbedingt angebracht. Denn die beiden Autoren haben wiederum so mit Sorgfalt und feinem Instinkt für das Sehenswürdige zusammengearbeitet, daß ein Buch zustandegekommen ist, das in seiner Art, in der fundierten Solidität seines Inhalts und der drucktechnischen Leistung hohen Rang besitzt.

Diese Bilder einer gesegneten Landschaft haben es in sich, es, das heißt, das spezifisch Eigenartige dieser alemannischen Landschaft diesseits und jenseits des großen Stromes, vieles was kaum entdeckt und bekannt ist, vieles aber auch, das fast jedermann geläufig und doch neu gesehen oder interpretiert ist. Kein schöneres Lob kann man sich vorstellen, als wenn einer, der seit Jahrzehnten mit tausend Fasern seines Lebens mit diesem Land verwachsen ist, bekennen muß: „Wir haben gemeint, wir würden alles kennen, aber . . ." Dieses Aber ist wie ein herzhafter dankbarer Händedruck für die Freude und auch die Information, die von diesem „Oberrheinischen Mosaik" ausgeht.

Auch dieser zweite Band besticht durch die knappe präzise Form der Darstellung; in wenigen akkurat formulierten Sätzen werden die Dinge gültig, ja endgültig umrissen. Und den Fotos merkt man an, daß der Fotograf die Motive wieder und wieder umkreist haben muß, um die gemäßen Licht- und Sichtverhältnisse so einzufangen, wie sie ihm vorgeschwebt haben müssen.

Offenburger Tagblatt

Das prachtvoll und übersichtlich ausgestattete Bilderbuch verweist – einem Mosaik gleich – mit empfindsamer Bestimmtheit auf den kulturgeschichtlichen und künstlerischen Rang der oberrheinischen Landschaft. Für die vielen Wanderer im niederalemannischen Sprachraum ein freudig aufgenommener Begleiter.

Die Rheinpfalz

Die Ausstattung der Bände ist meisterhaft: neben den großformatigen Fotos, teilweise farbig, teilweise Reproduktionen alter Darstellungen steht der knappe, präzise Text auf getöntem Papier, manchmal mit einer Federzeichnung aus alter Zeit verdeutlicht. Eine Karte erleichtert die Entdeckungsreise durchs Land.

Badische Neueste Nachrichten

Verlag Karl Schillinger · Freiburg im Breisgau

Als dritter Band der Mosaik-Reihe ist neu herausgekommen:

Basler Mosaik aus Stadt und Landschaft

gesehen von Leif Geiges, beschrieben von Hanns U. Christen und Meta Zweifel

Format 21 x 20 cm, 344 Seiten, 255 Abbildungen, davon 34 Farbbilder, Leineneinband mit farbigem Schutzumschlag und beigefügter Übersichtskarte.

Die Meinung über dieses Buch in der Presse:

Der vorliegende prachtvolle Bildband ergänzt in sinnvoller Weise die im Verlauf der letzten Jahre über die Stadt Basel erschienenen Bücher, in denen die Stadt jeweils mit einem speziellen Thema in Verbindung gebracht wurde. Das «Basler Mosaik» jedoch ist der Stadt und der Landschaft gleichermassen gewidmet und schildert in umfassender Weise die landschaftlichen Schönheiten, vermittelt aber auch ein aufschlussreiches Bild über Geschichte, Kunst und Kultur der beiden Kantone.

Der Fotograf Leif Geiges ist in Basel-Stadt und in Baselland den charakteristischen Schönheiten nachgegangen, um sie in künstlerisch gestalteten Aufnahmen festzuhalten. Er hat es sich dabei nicht leicht gemacht, sondern hat gewisse Motive mehrmals aufgesucht, bis sie sich in der gewünschten Beleuchtung und Situation darboten. Das Resultat ist deshalb auch besonders erfreulich und stellt eine wertvolle Bereicherung zu andern Publikationen dar.

Die kurzen aber prägnanten Texte wurden für den Basler Teil von Hanns U. Christen – bekannt unter seinem Journalisten-Signet -sten – und zu den Baselbieterbildern von Meta Zweifel aus Münchenstein verfasst.   BZ, Liestal

Das handliche Format erleichtert den schauenden und lesenden Genuss dieses Buches, das sowohl den Fremden wie aber auch den Basler bewusst werden lässt, dass die Stadt am Rhein und ihre Landschaft wohl auf der Landkarte oder im politischen Bereich getrennte Gebiete sind, in Realität aber eine Gemeinsamkeit bilden, die weder in Geschichte noch Kultur eine Trennung kennt. Für die Reichhaltigkeit des Bandes und die Sorgfalt seiner Herstellung spricht sicherlich auch die Tatsache, dass auch der Einheimische gar mancherlei interessante Details darin findet, über die Bücher ähnlicher Art hinweggehen.   Basler Woche

Über einen Mangel an Büchern über Basel hat noch niemand geklagt. Dennoch hat der in den Staufen im Breisgau lebende Fotograf Leif Geiges eine Lücke, wenn schon nicht gesucht, so doch gefunden und ausgefüllt. Der Freiburger Verlag hat seine 1975 begonnenen beiden Bände „Oberrheinisches Mosaik" durch ein drittes Werk, das nur den zwei Schweizer Kantonen am Übergang vom Hochrhein zum Oberrhein gilt, trefflich ergänzt.

Es ist vor allem ein Buch fürs Auge, das sich an den bekannten Bildern der alten Kultur- und Handelsstadt am Rheinknie ebenso erfreuen kann wie an hervorragend fotografierten, bemerkenswerten historischen Erinnerungen abseits der Basler Fremdenpfade. Auch die Schweizer Verfasser des Vorworts erstaunt es, daß ein deutscher Verlag sich dieser Dinge so überzeugend angenommen und dabei die den Baslern seit bald schon anderthalb Jahrhunderten wohlvertrauten Spannungen zwischen den beiden Kantonen der Stadt und der Landschaft so selbstverständlich außer acht gelassen hat.

Mit gleicher Selbstverständlichkeit ketzert der Basler Textautor Hanns U. Christen am liebgewordenen "Immidsch" der Stadt und der Mentalität seiner Mitbürger herum. Seine knappen Texte sind ebenso informativ wie amüsant. So ganz nebenher lernt man Basler Geschichte und Denkweise kennen. Auch die Texte zu den Bildern aus dem Kanton Basel Landschaft bieten viel Information. Aber Meta Zweifel, Gelegenheitsautorin mit soliden kunst- und landesgeschichtlichen Kenntnissen in der Kantonshauptstadt Liestal, beschreibt mehr und erläutert das Dargestellte geschichtlich, als daß sie noch Basler Pfeffer daran täte. Obgleich nicht wenige Bilder ländlichen Kirchen und Pfarrhäusern entstammen oder gelten, kann man über ihre Vielfalt und oft auch kaum vermutete überregionale Bedeutung nur staunen.   Stuttgarter Zeitung

Es ist verständlich, daß ein Buch, das zur Hälfte vom Bild lebt, das Ästhetische sucht. In diesem Band findet man aber mehr als eine Parade der Kunstdenkmäler und -schätze vom Basler Münster bis zum schlichten romanischen Dorfkirchlein. Zum Beispiel Hinweise auf Raritäten- und Kuriositätenkabinette: eine Sammlung von Schmugglerutensilien aus dem vorigen Jahrhundert, zusammengetragen von einem Zöllner, das „Läckerli-Museum" mit originellen Verpackungen dieser Spezialität aus Basler Bäckereien, ein Spielzeug- und ein Pharmaziemuseum. Der Rundgang durch die Ausstellungsstätten schließt natürlich das Historische Museum mit dem kleinen Kirschgartenmuseum oder das weltberühmte Kunstmuseum ein.

Das Lesen im „Basler Mosaik" bereitet Vergnügen, nicht nur das Schauen. Der Fotograf stellt im Vorwort fest, daß ein fotografisch schöneres oder raffinierteres Bild oft einem informativeren weichen mußte. Der Leser bedauert das nicht.   Bad. Zeitung

Das ist nun mal kein herkömmlicher Bildband, wie man sie landauf, landab allenthalben findet. Das ist vielmehr ein Stück müheloser und doch inhaltsgewichtiger Kulturgeschichte, worin in gleicher Weise Landschaft und Mensch, Baulichkeit aus Vergangenheit und Gegenwart, Brauchtum und Kunstgewerbe wie mehr seinen angestammten Platz hat. Daß sich Querbezüge zum Oberrheinischen, zum Badischen (etwa die von einem Staufener für die Sissacher Kirche erbaute Orgel), ebenso wie zum Elsässischen (Statue der hl. Odila) darin finden, versteht sich wie von selbst. Man wird nicht müde, das Eingebrachte zu schauen und die dazugehörigen Texte zu lesen, und was mühelos aus der Fülle des Gegebenen zusammengetragen scheint, entbehrt keinesfalls auch einer systematischen Konzeption. Die Proportionen sind gleich gefällig und sinnig, ihr Vortrag entbehrt nicht einer gewissen Bibliophilie, ohne deshalb dem Manieristischen zu verfallen. Hübsch machen sich auch die den Texten zusätzlich beigegebenen Stiche, deren Nachweis am Bandende exakt zusammengefaßt wurde. Die hellgraue Papiertönung läßt keine allzu harten Kontraste zu ; ein besonderes Lob ist den farbigen Kunstdrucktafeln zu zollen. So gesehen, wurde ein Mosaik geschaffen, das der Stadt Basel und ihrer Landschaft und damit den Vielfältigkeiten des dort Gebotenen durchaus gerecht wird. Das Historische mag überwiegen, doch das Aktuelle ist nicht zu kurz gekommen. Und nicht nur für die Basler und die schweizerischen Umlieger, auch für die engere und weitere badische Nachbarschaft dürfte dieses Werk viel zu bieten haben.   Bad. Heimat

Verlag Karl Schillinger · Freiburg im Breisgau